From Lost to the River
(De perdidos al río)

Speaking in Silver
(Hablando en plata)

Humor

Ignacio Ochoa Santamaría es pilarista, myriamista, rociísta, isabelista, cristinista, javierista, coleccionista, campero, chocolatero, futbolero, aeronáutico, taurófilo, anglófilo, cinéfilo, Güester, lector, publicitario.

Federico López Socasau es pilarista, coleccionista, ecologista, pacifista, rockero, futbolero, cervecero, cocinero, viajero, soltero, anglófilo, cinéfilo, tintinólogo, politólogo, Cólin, lector, profesor.

Ignacio Ochoa (Güester)
y Federico López Socasau (Cólin)

From Lost to the River
(De perdidos al río)

Speaking in Silver
(Hablando en plata)

mr · ediciones

© Ignacio Ochoa Santamaría, 1999, 2000
© Federico López Socasau, 1999, 2000
© Editorial Planeta, S. A., 2020
    Ediciones Martínez Roca es un sello editorial de Editorial Planeta, S. A.
    Avinguda Diagonal, 662, 6.ª planta. 08034 Barcelona (España)
    www.mredicones.com
    www.planetadelibros.com

Diseño e ilustración de la cubierta: Opalworks
Ilustraciones del interior: Pablo Blasberg
Primera edición en esta presentación en Colección Booket: febrero de 2008
Segunda impresión: diciembre de 2009
Tercera impresión: febrero de 2013
Cuarta impresión: marzo de 2017
Quinta impresión: junio de 2020

Depósito legal: B. 46.793-2009
ISBN: 978-84-8460-535-5
Impresión y encuadernación: QP PRINT
Printed in Spain - Impreso en España

Índice

FROM LOST TO THE RIVER
(De perdidos al río)

SPEAKING IN SILVER
(Hablando en plata)

FROM LOST TO THE RIVER
De perdidos al río

Dedicado a Myriam,
que también habla otro idioma.

INTRODUCCIÓN
La más sutil de las venganzas

Reconózcalo. A estas alturas es mejor abandonar. Se ha gastado una fortuna en academias de inglés sin conseguir aprenderlo. Ha ahorrado cada año para poder pagar cursos intensivos tipo «*English for idiots*» durante lluviosos veranos en pueblecitos al sur de Inglaterra (al norte es todavía peor). No hay curso de inglés por correspondencia que no se amontone en los cajones o librerías de su casa. Y nada.

Su falta de dominio del inglés le ha impedido ligar con suecas, noruegas, danesas, holandesas, alemanas, austrialianas y kenianas, mientras que otros u otras, gracias a esa lengüecita, le mortifican con sus aventuras.

A pesar de todos los esfuerzos, su incomprensible torpeza para manejarse en el idioma de su graciosa majestad le ha arrebatado importantes oportunidades profesionales. Como, por ejemplo, viajar con su jefe a Nueva York para asistir a un seminario de «Incentivación de mandos intermedios dentro del entorno macroeconómico urbano de la franquicia de hamburgueserías». Lo cual era un planazo.

Y, para colmo, su timidez para chapurrear lo poco que sabe, hace que siempre se quede fuera cada vez que Mr. Jones o Miss Purdy visitan su oficina y hay que llevarles al restaurante de moda. Esto es triste.

Pero lo peor es no poder tirarse el farol de haber visto siete veces *Casablanca* en versión original, ni demostrar que se sabe con soltura la letra del *Only you* ni, por supuesto, presumir leyendo el *Business Week* en la sala de espera del puente aéreo. No sabe cómo le entendemos.

Por eso, diga con nosotros «*from lost to the river*», si no puede unirse a ellos, vénzalos.

Como aseguran esos libros, casi mágicos, que contienen todas las respuestas acerca de cómo triunfar en la vida y progresar en su empresa en tan sólo 8 semanas, mientras además se liga a su secretaria o a su jefe, la solución está en sus manos.

From lost to the river contiene la más rancia jerga castellana traducida a un inglés de alta escuela victoriana. Una mezcla explosiva, oiga.

A partir de aquí, le garantizamos efectos demoledores.

A saber:

- Usted puede dirigirse en inglés a cualquier británico o yanqui, incluida la CIA y el MI5 con la certeza de que van a entender todas las palabras, pero no la frase. Maquiavélico.
- Vacile con soltura ante los pelmazos de sus amigos o amigas que tanto inglés dicen que saben. Hábleles en castellano con palabras inglesas. Desestabilizante.

- Busque personas que aborrezcan el inglés, como usted, regáleles el libro (lo cual nos viene muy bien) y disfrute comprobando todo lo que se pierden los angloparlantes que no hablan español. Altamente vengativo.
- Suelte, disimuladamente, cuatro o cinco copias del *From lost...* en Gibraltar y espere a ver los efectos. Contraespionaje de vanguardia.

Comprendemos que, con una fórmula como ésta, pueden caer el Imperio, la «*Comanguelz*» y poner en jaque al Pentágono. O sea, que tampoco se pase con la dosis. O, mejor, haga lo que quiera y disfrute.

Güester y Cólin.

INSTRUCCIONES PARA SU
CORRECTA UTILIZACIÓN

1.ª Nunca se fíe del orden alfabético. No es correcto. Nada es correcto.
2.ª No se sorprenda si ve algún término repetido. Simplemente no se sorprenda.
3.ª No lea nunca más de tres páginas seguidas. Puede crear adicción. Y le durará más.
4.ª No intente memorizar más de una frase al día. Acuérdese de lo que le pasaba cuando estudiaba inglés.
5.ª Siga fielmente las instrucciones de pronunciación, no se fíe de la suya.

A

• Aquí mi Santa **Here my Saint**
(jier mai seint).
Dígalo cuando presenta
a su mujer y verá la galleta
que recibe.

• Aquí la parienta **Here the relative**
(jier de relativ).
Bonita y práctica donde las haya.

• Aquí un **Here one knowledge**
conocimiento (jier uan noulech).
Demuestre su culturón.

• A caer de un burro **To fall from a donkey**
(tu fol from a donqui).
Y me puso a caer de un burro.
**And he put me to fall from
a donkey**
(and ji put mi tu fol from ei
donki).

17

Cosa normal, cada vez que usted se da la vuelta. ¿No lo sabía?

• A lo hecho, pecho **To the made, chest** (tu de meid, chest). Alternativa: *Chest to the made*. Muy bonita, muy creativa, altamente elegante y locuaz.

A la sopa boba	To the silly soup
	(tu de sili sup). Mis hijos, ya sabes, a la sopa boba. **My sons, you know, to the silly soup** (mai sons, yu nou, tu de sili sup).

• A cada cerdo le llega su San Martín **Saint Martin comes for every pig** (Seint Martin coms for evri peg). *Saint Martin in the fields*, de gran evocación para los ingleses.

• ¡A buenas horas mangas verdes! **To good hours green sleeves!** (tu gud auors grin slivs).

Esto hay que decirlo, como en castellano, un pelín cabreao.

- **¡A freír espárragos!** **To fry asparagus!**
(tu frai esparagos!).
No fast food.

- **¡A freír monas!** **To fry female monkeys!**
(tu frai fimeil monkis!).
¡Vete a freír monas!
Go to fry female monkeys!
(gou tu frai fimeil monquis!).
No emplear nunca ante miembros de la asociación protectora de animales británica.
Ya sabe lo finos que son.

- A todo trapo **To full rag**
(tu ful rag).

- A toda leche **To full milk**
(tu ful melk).

- A toda castaña **To full chestnut**
(tu ful chestnot).

- A toda pastilla **To full tablet**
(tu ful tablet).

- A mala leche **On bad milk**
  (on bad melk).

- A mala uva **On bad grape**
  (on bad greip).
  Lo hizo a mala uva.
  He did it on bad grape
  (ji did it on bad greip).
  Greip, ¡como el mosto!

- A caballo regalado **If they give you a horse**
  no le mires **don't look his tooth**
  el diente (if dei guiv yu ei jors dont luc
  jis tuz).
  Para decir esta larga frase en
  impecable inglés se necesitan
  largas horas de práctica.
  Si tarda más de dos en
  conseguirlo, abandone.
  No vale la pena.

Abrirse	To open yourself
	(tu open yorself).
	Bueno, me abro.
	Good, I'm going to open myself
	(gud, ai am gouin tu oupen maiself).

- Agarrar un pedo **To get a fart**

(tu guet ei fart).
Ver: coger.

• Agarrar una castaña **To get a chestnut**
(tu guet a chestnot).
Ver: coger.

• Agarrar un pedal **To get a pedal**
(tu guet a pedal).
Ver: coger.

• Ahorrarse el **To save the parrot's**
chocolate del loro **chocolate**
(tu seiv de parrots chocoleit).
Importante no confundir
save con *shave* ya que, de
ser así, estaría usted
indicando que quiere o que
va a «afeitar el chocolate
del loro».

• ¡Allá películas! **Over there films!**
(ouver der films!).
Esto se debe decir en USA,
refiriéndose a *Jólivu*,
Los Ángeles (California).

• A mí plin **To me plin**
(tu mi plin).
Sencilla y práctica.

- Andar con pies de plomo

To walk with lead feet
(tu guolk güiz led fit).
Ésta es difícil, pero descriptiva. Hay que decirla con mucha naturalidad, como en casos así:
You better walk with lead feet
(yu beta guolk güiz led fit).
Siempre puede añadir al final «Morgan».
Queda muy distinguido.

- ¡Anda ya!

Walk now!
(guolk nao!).
¡Vamos anda!
Come on walk!
Pronúnciese así:
Comonguolk!, tóojunto.

- Ande yo caliente y ríase la gente

Let me walk hot and let the people laugh
(let mi guolk jot and let de pipol lof).
«'pecable», redonda. Muy invernal.

- Armar la gorda

To arm the fat one
(tu arm de fat uan).

Aquí hay gato encerrado **Here is a locked up cat**

- Aquí paz y despúes gloria

Here peace and after glory
(jía pis and afta glori).
Muy importante pronunciar
«pis» de forma líquida.

- Aquí hay gato encerrado

Here is a locked up cat
(jía is a loct ap cat).
Si encuentra una sílaba
de más avise.

- Aquí viene el tío Paco con las rebajas

Here comes uncle Frank with the sales
(jía cams oncl Frank güiz
de seils).
Ésta es larga, lo sabemos.
Y difícil, lo sabemos, pero,
inténtelo, ¡hombre de Dios!
(*man of God!*). Plis.

- Aquí me las den todas

Here they give me all
(jía dei guiv mi ol).
Ésta sirve muy bien
para consolidar gobiernos.

Armar un cirio **To arm a big candle**
(tu arm a big candel).

- Así te luce el pelo

So your hair looks
(sou yor jer lucs).
Ruphert... I need you!

• Azotea

Penthouse
(pentjaus).
Tiene mal la azotea.
He's got a bad penthouse
(jis got a bad pentjaus).
Por cierto, nunca triunfaría
en España una revista de
chavalas que se llamara
Azotea aunque lo
pronunciáramos «Asotea».

B

• Batir el cobre

To beat the copper
(tu bit de coppa).
Ésta es realmente mala,
pero sirve para darse
cuenta de lo geniales que
son las otras.

• Borde

Edge
(etch).
Ese tronco es un borde.
That trunk is one edge
(dat tronc is uan etch).

• Borrón y cuenta
  nueva

Blot and new account
(blot and niú acaunt).
Que es lo mismo que decir:

«aquí no ha pasao na».
Very typical spanish.
Very typical spanish
government as well,
Manuel.
Gracias.

Braguetazo	A coup de fly
	(a cup de flai).
	Nótese el elegante
	amaneramiento francés
	en ese *coup de*: golpe de.
	Es decir, «golpe de
	bragueta».
	¡Qué distinción!

* Buscar tres pies al gato

  Look for three feet in the cat
  (luc for zri fit in de cat).
  Enrevesada donde las haya.
  Pa'no ponerla, vamos.

* Buscar las vueltas

  Look for the turns
  (luc for de terns).
  No me busques
  las vueltas.
  Don't look for my turns
  (dont luc for mai terns).
  Tonito amenazante
  siempre, ¿eh?

- Buzón

  Mailbox
  (meilbox).
  Cierra el buzón.
  Close de mailbox
  (clous de meilbox).
  Muy útil, sobre todo
  con la «madre en ley».

C

- Caballo grande,
  ande o no ande

  Big horse walk or no walk
  (big jors guolk or nou guolk).
  Very typical american.
  (Veri típical Jon Vaine.)

- Cacao

  Cocoa
  (coucou).
  Y armaron un buen cacao.
  **And they put together a
  good cocoa**
  (and dei put tugueder ei
  gud coucou).

- Cada oveja
  con su pareja

  Each sheep with its pair
  (ich ship güiz its per).
  Especialmente en Nueva
  Zelanda. Si va por allí dígalo
  con afecto y sencillez. Será
  un éxito.

- Cada mochuelo a su olivo

Each little owl to its olive tree
(ich litel oul tu its oliv tri).
Realmente difícil, si consigue memorizar ésta, es usted un monstruo (yu ar a monster, mai frend!).

- Cada loco con su tema

Each fool with his theme
(ich ful güiz jis zim).

Caer el gordo	**To fall the fat one**
	(tu fol de fat uan).
	El gordo cayó en Manchester (por ejemplo).
	The fat one fell in Manchester
	(de fat uan fel in Manchesta).
	¿Hay lotería en Manchester?

- Caer gordo

To fall fat
(tu fol fat).
Me cae gordo.
He falls me fat
(ji fols mi fat).
Me cayó el gordo.
I got the fat one
(ai got de fat uan).
¡Envidia me da!

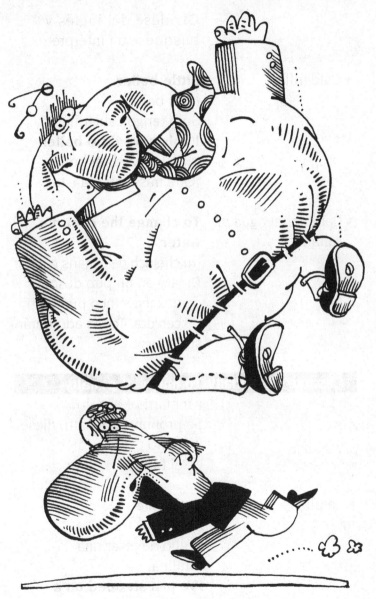

Caer gordo **To fall fat**

Olvídese del inglés y
búsquese un intérprete.

- Calderilla **Little boiler**
(litel boila).
Sólo tengo calderilla.
I only have little boiler
(ai ounli jav litel boila).
¡Qué frase tan realista!

- Cambiar el agua al **To change the canary's**
canario **water**
(tu cheinch de canaris guata).
Dígalo en un pub después
de atizarse cinco pintas
de cerveza. Todos admirarán
su fluidez.

Casarse de penalty To marry of penalty
(tu marri of pénalti).
Se pronuncia pénalti, fíjese
bien, no penálti como
en el fútbol.

- Catalina **Catherine**
(Cacerin).
Acabo de pisar una
catalina.
**I've just stepped on a
catherine**

(aiv yost estep
on ei cacerin).
¡Mala suerte, amigo!

• Cepillarse a alguien **To brush somebody**
(tu brosh soumbori).
En los dos sentidos:
el criminal y el que ya
entiende usted.

• Coco **Coconut**
(couconot).
Tiene mucho coco.
He has a lot of coconut
(ji jas a lot of couconot).
En «tóo» el coco.
In all the coconut
(in ol de couconot).

• Coger una mierda **To get a shit**
(tu guet ei shit).
Ver: agarrar.

• Coger una mona **To get a female monkey**
(tu guet ei fimeil monqui).
Ver: agarrar.

• Coger una tea **To get a torch**
(tu guet a torch).
Ver: agarrar.

- Coger una merluza **To get a hake**
(tu get a jeik).
Ver: agarrar.
Coger una merluza en un
buen caladero del norte.
**To get a hake in a good
northern fish bank**
(tu get a jeik in a gud nor-
zern fish bank).
Dígalo estando trompa.

- Coger o llevar un **To get (or carry) a peach**
melocotón (tu get [or carri] a pich).
Esta frase viene muy bien
cuando se toma licor
de melocotón.
Regardez la gilipolluá.

- Coger una mierda **To get a shit like
como un piano a grand piano**
de cola (tu get a shit laik a grand
piano).
Ésta es realmente cinematográfica, de buena que es.

- Columpiarse **To swing**
(tu suing).
Macho, no te columpies.
Male, don't swing yourself
(meil, dont suing yorself).

• Colega   **Colleague**

(cólig).

¡Passa colega!

Pass colleague!

(pass cólig!).

Colegui-coleguilla.

Little colleague

(litel cólig).

Colegota.

Big colleague

(big cólig).

Obviamente.

Comerse el tarro	To eat your pot

(tu it yor pot).

Deja de comerte el tarro.

Stop eating your pot

(estop itin yor pot)

Muy gráfico, sí señor

(veri gráfic, yes ser).

• Comerse una rosca   **To eat a doughnut**

(tu it a dounot).

Versión juvenil:

To eat a doughnut.

Comerse un donut.

• Comerse un «saci»   **To eat a cough sweet**

(tu it ei cof suit).

No existen los caramelos

para la tos «saci» en inglés.
Lo cual demuestra su falta
de sofisticación.
Una pena.

- Como anillo al dedo **Like ring to finger**
  (laik ring tu finga).

- Comerse un colín **To eat a bread stick**
  (tu it a bred estic).

- Como los chorros **Like gold jets**
  del oro (laik gould yets).
  Si le añade un acentillo
  andaluz, mejor.

- Como oro en paño **Like gold in cloth**
  (laik gould in clouz).

- Como uña y carne **Like nail and flesh**
  (laik neil and flesh).

- Como un huevo **Like an egg to a chestnut**
  a una castaña (laik an eg tu a chestnot).
  Se parece a su padre como...
  **She looks like her father
  like...**
  (shi lucs laik jer fadar laik...).

- Con toda la pesca **With all the fishing**

(güiz ol de fishin).
Se cayó con toda la pesca.
He fell down with all the fishing
(ji fel daun güiz ol de fishing).

• Costar un Congo

To cost one Congo
(tu cost uan Congo).
Que se lo digan a los belgas.

• Costar un huevo

To cost an egg
(tu cost an eg).
Que se lo digan a las gallinas.

• Costar un huevo
y parte del otro

To cost an egg and part of the other one
(tu cost an eg and part of di oder uan).
Con naturalidad y sin levantar la voz, queda redonda.

• Costar un riñón

To cost a kidney
(tu cost a quidni).
No se sabe qué es peor, si un *eg* o un *quidni*.

• Contigo pan
y cebolla

With you bread and onion
(güiz yu bred and onion).
Dígaselo a la chica de sus

sueños en ese inglés suelto y desenfadado que le caracteriza y ella caerá en sus brazos llena de admiración, si no vomita antes.

- Cuando seas padre comerás dos huevos

  When you are a father you will eat two eggs
  (güen yu ar a fádar yu güill it tu egs).
  Pelín tercermundista, pero verdad.

Cuartos	Quarters
	(cuartars).
	Sólo le importan los cuartos.
	He only cares about the quarters
	(ji onli quers abaut da cuartars).

- Chapa

  Cap
  (cap).
  No tengo ni chapa:
  I don't even have a cap
  (ai dont iven jav a cap).
  ¡Bienvenido a bordo!

- Chapar

  To plate

(tu pleit).
Está chapando todo el día.
He spends the whole day plating
(ji espends de joul dei pleiting).
Hay pocos ejemplares de este tipo en España. En GB, menos.

• Chorizo

Salami
(salami).
Este tío es un chorizo.
This uncle is a salami
(dis oncol is a salami).
Este país está lleno de chorizos.
This country is full of salamies
(dis countri is ful of salamis).

• Chupa del frasco

Suck from the flask
(soc from de flasc).
Siempre puede añadir «Carrasco» al final, pero fíjese, pronunciado «Carascou». La pronunciación siempre muy importante, ya sabe ¿eh?, siempre muy importante. ¡Hala! majete.

• Chupar banquillo **Suck bench**
(soc bench).
Anelka chupa mucho
banquillo.
**Anelka sucks a lot of
bench**
(Anilka socs a lot of bench).
¡Quién lo iba a decir!

D

• Dar calabazas **To give pumpkins**
(tu guiv pompkins).

• Dar gato por liebre **To give cat for hare**
(tu guiv cat for jer).
Eso era antes, ahora dan
otras cosas.

• Dar por saco **To give by sack**
(tu guiv bai sac).
Y le dieron por saco.
And they gave him by sack
(and dei gueiv jim bai sac).

• Dar boleto **To give the ticket**
(tu guiv de tiquet).

• Dar caña **To give cane**

Dar leña al mono **To give firewood to the monkey**

(tu guiv kein).
Le dieron caña para aburrir.
They gave him cane to bore
(dei gueiv jim kein tu bor).

Dar la paliza	To give the beating
	(tu guiv de biting).
	No me des la paliza con eso.
	Don't give me the beating with that
	(dont guiv mi de biting güiz dat).

- Dar leña al mono

  To give firewood to the monkey
  (tu guiv fairvud tu de monqui).
  ¡Ojo con la asociación protectora de animales británica!

- Darle al tarro

  To hit the pot
  (tu jit de pot).

- Dar pasaporte

  To give passport
  (tu guiv pasport).

- Darle un «patatús»

  To have a «patatus» attack
  (tu jav ei patéitus atak).
  Aquí la pronunciación de «patatús» varía porque el inglés es impredecible.

- Darse el filete

To give yourself the tenderloin
(tu guiv yorself de tenderloin).
Nos dimos un filete.
We gave us one tenderloin
(güi geiv as uan tenderloin).

- Darse un voltio

To give yourself a volt
(tu guiv yorself ei volt).
Un voltio y medio.
A volt and half
(a volt and a jalf).
Si le gusta mucho andar.

- Darse el bote

To give yourself the can
(tu guiv yorself de can).
Bueno, me doy el bote.
Good, I'm gonna give myself the can
(gud, aim gona guiv maiself de can).
Versión junior:
Good, I'm gonna gimme the can
(gud, aim gona guimi de can).

- De pe a pa

From p to pa
(from pi tu pa).

Se lo sabe de pe a pa.
He knows it from p to pa
(ji nous it from pi to pa).

De bote en bote	From can to can
	(from can tu can).
	Estaba de bote en bote:
	It was from can to can
	(it güas from can tu can).
	«'sea abarrotao».

- De mil pares
  de pelotas

  **From a thousand pairs
  of balls**
  (from ei zausan pers of
  bols).
  Versión: De mil pares
  de narices.
  **From a thousand pairs of
  noses**
  (from ei zausan pers of
  nouses).
  Mucho más fina la última.

- De perdidos al río

  From lost to the river
  (from lost tu de riva).
  Frase inmensa e inigualable
  en este argot y que da título
  a este glosario.
  «'presionante», «'nigualable».
  Simplemente superior.

- Desplumar a alguien

To pluck somebody
(tu ploc soumbori).
Y me desplumó el tío.
And the uncle plucked me
(and de oncl plocd mi).

- Divertirse como un enano

To enjoy like a midget
(tu enyoi laik a midyet).

- Después de cien años todos calvos

After a hundred years everybody bald
(afta a jandred yiars evribadi bald).

- Dorar la píldora

To plate the pill
(tu plait de pil).
Se pasa el día dorándole la píldora al jefe, oye.
He passes the day plating the pill to the boss, listen
(ji pases de dei pleiting de pil tu de bos, lisen).
Envidia currupia, diría yo.

- Dormir a pierna suelta

To sleep loose leg
(tu eslip lus leg).

- Dormir la mona

To sleep the female monkey
(tu eslip de fimeil monqui).

Con esto ya están más
de acuerdo los de la asociación protectora de GB.

E

- ¡Echa el freno
Madaleno!
**Throw the brake
Madaleno!**
(zrou de breik Madalinou!).
Muy importante, como
en otros casos, la correcta
pronunciación de Madaleno:
Ma-da-li-nou.

- Échale guindas
al pavo
**Throw cherries
to the turkey**
(zrou cherris tu de terqui).
Importante hacerlo antes de
Navidad o de **Thanksgiving**
(Zanksgivin) en USA.
Los pavos lo agradecen
mucho.

- Echando leches
Throwing milks
(zrouin melks).
Como «Fitipardi».

- Echando virutas
Throwing shavings

(zrouin sheivins).
Como «er Shumaque».

- Echando chispas **Throwing sparks**
(zrouin sparks).
Como «er Grajan Jí».

- Echando melodías **Throwing melodies**
(zrouin melodis).
Como «er Yaqui Estígua».

Edad del pavo	Turkeys Age
(torquis eich).
Nada que ver con la historia.

- El que quiera peces **If you want fish**
que se moje el culo **wet your ass**
(if yu guant fish güet yor ass).
Esto, hasta lo entienden.

- El que no llora **No cry no suck**
no mama
(no crai no soc).
Si pronuncia *soc* con mucha
o, es todavía más divertido:
No llora, no calcetín. ¡Toma!

- El oro y el moro **The gold and the moor**
(de gould and de muor).
De enorme tradición.
Muy evocadora.

- El año
  de maricastaña

  Marychestnut's year
  (merichestnots yiar).
  O sea, hace un porrón.

- El año de la nana

  Nanny's year
  (nanis yiar).
  Hace la tira.
  Makes the strip
  (meiks de strip).

- El hijo de mi
  madre

  My mother's son
  (mai moders son).
  Oui, c'est moi.

- El sobre

  The envelope
  (de enveloup).
  Me voy al sobre.
  I'm going to the envelope
  (ai am goin tu de enveloup).

- Embalao

  Packed
  (pact).
  Iba embalado, el tío.
  The uncle was going packed
  (di oncl guas goin pact).
  Véase la sutil diferencia
  entre «embalao» de bala
  y «embalao» de embalaje.
  Aquí usamos la de embalaje.
  Para despistar.

- Empanada mental **Mental pie**
  (mental pai).
  Estado muy frecuente
  y generalizado.

En dos patadas	In two kicks

En dos patadas — **In two kicks**
(in tu quics).
Lo hago en dos patadas.
I do it in two kicks
(ai du it in tu quics).
Como Boby Charlton.

- En menos que **In less than a cock sings**
  canta un gallo (in les dan a coc sings).

- En el quinto pino **In the fifth pinetree**
  (in de fifz paintri).

- En el quinto infierno **In the fifth hell**
  (in the fifz jel).

- En el quinto **In the fifth pepper**
  pimiento (in de fifz pepa).

- Ensalada de tiros **Shot salad**
  (shot salad).
  Very typical cowboy.
  From the colonies, you know.

- Entradas **Entrances**

(entranses).
Tiene entradas.
He has entrances
(ji jas entranses).
Vamos, que se está
quedando calvo
(B*illiard ball* total).

- Entre col y
col lechuga

**Between cabbage and
cabbage a lettuce**
(bituin cabeich and cabeich
a letus).
El día que sea usted
capaz de decir ésta
con naturalidad se
consagra.

- Es más el ruido
que las nueces

**Is more the noise
than the nuts**
(is mor de nois dan de
nots).

- Es la pera

Is the pear
(is de pear).

- Es la monda

Is the peeling
(is de pilin).

- Es un plomo

Is a lead
(is a led).

- Es un peñazo **Is a big boulder**
(is a big boulda).
Aprender inglés
es un peñazo.
**Learning English is
a big boulder**
(lerning inglish is
a big boulda).

- Estar molido **To be ground**
(tu bi graund).
Estoy molido.
I'm ground
(aim graund).

- Estar más bueno **To be better than bread**
que el pan (tu bi beta dan bred).

- Estar hasta **To be up to the bun**
el moño (tu bi ap tu de bon).
Estoy hasta el moño de...
I'm up to the bun of...
(aim ap tu de bon of...).

- Estoy hecho **I feel like panties**
una braga (ai fil laik pantis).
¡Qué mezcla tan agridulce!

- Estar como **To be like a cowbell**
un cencerro (tu bi laik a caobel).

- Estar como
  una regadera

To be like a sprinkler
(tu bi laik a espríncla).
Lo fácil que es decir
«espríncla» y lo difícil
que parece...

- Estar de mal café

To be of bad coffee
(tu bi of bad cofi).
Aquí se puede sustituir
café, por leche (*milk*)
que es más sano, pero de
peor educación.

Estar macizo

To be solid
(tu bi solid).
¡Maciza!. *Solid*!
Expresión irrefrenable
donde las haya.

- Estar al loro

To be to the parrot
(tu bi tu de parrot).
Está siempre al loro.
Is always to the parrot
(is olgüeis tu de parrot).
Estáte al loro.
Stay to the parrot
(estei tu de parrot).

- Estar cañón

To be cannon
(tu bi canon).

- Estar como
  un camión

  To be like a lorry
  (tu bi laik a lorri).
  En América diga **truck**
  (troc) en lugar de **lorry**
  (lorri).
  ¿Por qué?, pues vaya usted
  a saber...

- Estar roto

  To be broken
  (tu bi bróuquen).
  No confundir con *broke*
  eso es inglés perfecto
  y significa arruinado.
  En este caso usted
  está destrozao,
  hecho polvo, es decir,
  broken.
  (yu ar distroid, meid dost, es
  decir, bróuquen).

- Estar a por uvas

  To be for grapes
  (tu bi for greips).

- Estar «tocao»

  To be touched
  (tu bi tocht).
  A muchos les gustaría
  estar «tocao».

- Estar tieso

  To be stiff
  (tu bi estif).

- Estar a dos velas — **To be at two candles** (tu bi at tu candels).

- Estar forrado — **To be lined** (tu bi laind).

- Estar en sus trece — **To be in your thirteen** (tu bi in yor zertín).

- Estar frito — **To be fried** (tu bi fraid).

Estar «p'allá» — **To be over there** (tu bi overdér). El pobre está un pelín «p'allá». **The poor is a little hair over there** (de pur is a litel jer overdér).

- Estar con la mosca detrás de la oreja — **To be with the fly behind the ear** (tu bi güiz de flai bijaind de íar).

- Estar «mamao» — **To be sucked** (tu bi sockt).

- Estar sin blanca — **To be without white** (tu bi güizaut guait).

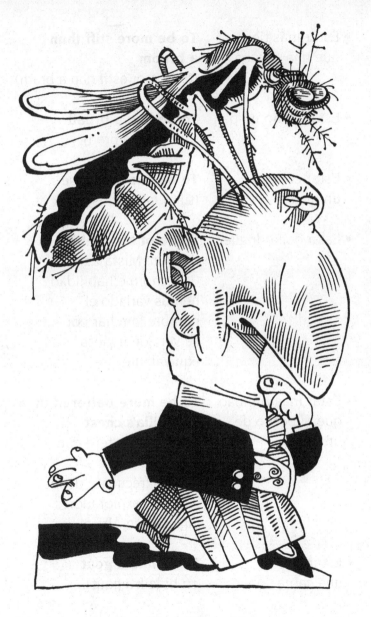

Estar con la mosca detrás de la oreja

To be with the fly behind the ear

- Estar más tieso
  que una escoba
  **To be more stiff than
  a broom**
  (tu bi mor estif dan a brum).

- Estar como un pan
  To be like a bread
  (tu bi laik a bred).

- Estar como
  un queso
  To be like a cheese
  (tu bi laik a chis).

- Estar de Rodríguez
  To be of Mr. Smith
  (tu bi of Mista Esmiz).
  Con enorme habilidad
  hemos variado el
  nombre familiar por
  su versión inglesa
  equivalente.

- Estar más zumbao
  que el pecho de
  un gorila
  **To be more battered than
  a gorrilla's chest**
  (tu bi mor baterd dan a
  gorilas chest).
  Estado frecuente de los
  famosos exploradores
  ingleses en África.

- Estar como
  una cabra
  To be like a goat
  (tu bi laik a gout).

- Estar pez
  To be fish

(tu bi fish).
Es decir, «n'idea».

- Esto hay que mojarlo

  We have to wet this one
  (güi jav to güet dis uan).

- Esto va a misa

  This goes to mass
  (dis gous tu mas).

- Estoy mosqueao

  I'm full of flies
  (am ful of flais).
  Suprema.

Estrecha	Narrow
	(narrou).
Era muy estrecha y no se pudo hacer «na».
She was very narrow and there was nothing I could do
(shi güas veri narrou and der guas nozin ai cud du).
Nada, eso es falta de experiencia.

F

- Flauta, prepararse o comerse una flauta

  Flute/prepare or eat a flute
  (flut/priper or it a flut).

Excelso nombre de bocata
donde los haya. Y déjese
usted de sangüiches.

• Frío de bigote   **Cold of moustache**
(could of mustash).
Siempre tiene la
alternativa de usar
«pelotas» (*balls*).

G

• Galleta   **Cookie**
(cuqui).
Dar una galleta.
To give a cookie
(tu guiv a cuqui).
Sacudir una galleta.
To shake a cookie
(tu sheik a cuqui).

• Golfo   **Gulf**
(golf).
No seas golfo.
Don't be gulf
(dont bi golf).

• Goma   **Rubber**
(roba).

Frío de bigote   **Cold of moustache**

• Gondolero **Gondolier**
(goundolier).
Hacer un gondolero.
To make a gondolier
(tu meik a goundolier).
No todo el mundo sabe
lo que es un gondolero.
Do you?

Gorra	Cap
	Ir de gorra.
To go by the cap
(tu gou bai de cap).
«Cienes y cienes» de gente
van así.

• Gorrón **Bigcap**
(bigcap).
Tóojunto.

• Gritar como un **To scream like a torn**
descosido (tu escrim laik a torn).
También puede usted
hablar (*talk*), gastar (*spend*)
y beber (*drink*)
como un descosido.
Pero no es recomendable.

• Guindar **To cherry**
(tu cherri).

Y me guindó el boli.
And he cherried my ballpen
(and ji cherrid mai bolpen).
Alta escuela hay en esta frase.

• Gustarle el alpiste **To like the bird seed**
(tu laik de berd sid).

H

• Habas contadas **Numbered beans**
(nomberd bins).
Esto son habas contadas.
This are numbered beans
(dis ar nomberd bins).

• Hablar en plata **To speak in silver**
(tu espic in silva).
Al pan, pan y al vino, vino.
**To bread, bread and
to wine, wine**
(tu bred, bred and
tu guain, guain).

• Hacer la pelota **To make the ball**
(tu meik de bol).
Hacer la rosca.
To make the doughnut
(tu meik de dounot).

- Hacer el ganso

To make the goose
(tu meik de gus).
Éste es un ganso.
This is a goose
(dis is a gus).

- Hacer un «favor»

To make a favour
(tu maik a feivor).
No estamos hablando de
cortesía, en este caso.

Hacer seda

To make silk
(tu meik selk).
Bueno, me voy a hacer seda.
Good, I'm going to make silk
(gud, aim going to meik selk).

- Hacer el avión

To make the plane
(tu meik de plein).

- Hacer la carrera

To make the race
(tu meik de reis).

- Hacerla un bombo

To make her a drum
(tu meik jer a drom).
Práctica cada vez en mayor
desuso. Nos vamos a quedar
solos.

- Hacerse el sueco

To make the swedish
(tu meik de suedish).

• Huevos

Eggs

Con un par.

With a pair

(güiz a per).

Con dos.

With two

(güiz tu).

Con muchos.

With many

(güiz meni).

Con más que.

With more than

(güiz mor dan).

Y un...

And an...

(and an).

Como ve, hay muchas recetas.

I

• Ir de culo

To go bottom first

(tu gou bottom ferst).

To go ass first

(tu gou as ferst).

La peseta va de culo.

The peseta goes ass first

(di peseta gous ass ferst).

- Irse al cuerno

  To go to the horn
  (tu gou tu de jorn).

- Irse a hacer gárgaras

  To go gargling
  (tu gou gargling).

- Irse por los cerros de Úbeda

  To go by Ubeda's hills
  (tu gou bay Ubedas jils).
  Bonito recorrido turístico.

- Irse al otro barrio

  To go to the other quarter
  (tu gou tu di oder cuartar).

J

Jarabe de palo	Stick syrup
	(estic sirop).
	Muy mala receta.
	La peor.

- ¡Jo!

  Ho!
  (jou!).
  Corto, preciso, seco.
  Un arma corta.

- ¡Joroba!

  Hump!
  (jomp!).
  Un mazazo verbal.
  Auténtico.

Irse por los cerros de Úbeda   **To go by Ubeda's hills**

- Jorobar

To hump
(tu jomp).
¡No jorobes!
Don't hump!
(dont jomp!).

L

- La ocasión
  la pintan calva

They paint the occasion bald
(dey peint de oqueishon bald).

- La alegría
  de la huerta

The joy of the vegetable garden
(de yoi of de veyetabol garden).
Mírale, la alegría de la huerta.
Look at him, the joy of the vegetable garden
(luc at jim, de yoi of de veyetabol garden).
¡Admirable!

- La movida

The move
(de muv).
Término a disecar.

- La dolorosa

The painful
(de peinful).

La dolorosa **The painful**

Camarero, por favor,
la dolorosa.
Waiter, the painful, pease
(güeita, de peinful plis).

• La ley de embudo   **The funnel's law**
(de fonels lo).
La ley del embudo, pa ti lo
ancho y pa mí lo estrecho.
**The funnel's law for you
the wide and for me
the narrow**
(...for yu de guaid and
for mi de narrou).

La cagamos	We shit it

We shit it
(güi shit it).
La cagaste Burt Lancaster.
**You shit it Melannie
Griffith**
(yu shit it Melani Grifit).
Todo rima si uno lo domina.

• La cabra siempre   **The goat always pulls
tira al monte**   **to the mountain**
(de gout olgüeis puls
tu de mauntein).

• La húmeda   **The wet one**
(de güet uan).

- La fila de los mancos

  The row of the one-handed
  (de rou of de uanjanded).
  No confundir jamás
  one-handed con *one hundred*.

- Las cosas de palacio van despacio

  Palace things go slowly
  (palas zings gou eslouli).
  Por ejemplo, el ascenso
  al trono de Prince Charles
  (Prins Chols).

- La marimorena

  The marysuntan
  (de merisontan).
  Muy turística.

- Lata

  Tin
  Esta tía es una lata.
  This auntie is a tin
  (dis ounti is a tin).

- Leche

  Milk
  (melk).
  Le di una...
  I gave him a...
  (ai geiv jim a...)
  y una...
  and a milk
  (and a melk).

A toda...
To full...
(tu ful...).

Ligar	To tie
	(tu tai).
	Nos vamos a ligar.
	We are going to tie
	(gui ar goin tu tai).
	Déjelo, vaya al cine.

- Ligas menos que el chófer del Papa

  You tie less than the Pope's driver
  (yu tai les dan de Poups draiva).

- Ligar bronce

  To pick up bronze
  (tu pic ap brons).

- Limpio de polvo y paja

  Clean from dust and straw
  (clin from dost and strou).
  Difícil, sí señor, pero en estos tiempos no es malo practicarla.

- Lo comido por lo servido

  The eaten for the served
  (de iten for de servd).

- Llegar y besar el santo

  To arrive and kiss the saint

(tu arraiv and quis de seint).
Ésta es genuina, nunca
desmerece.

- Llevarse el gato **To take the cat to**
  al agua **the water**
  (tu teik de cat tu de güata).

M

- ¡Macho! **Male!**
  (meil!).
  Vámonos, macho.
  Let's go male
  (lets gou meil).

- ¡Maestro! **Master!**
  (masta!).
  Esto hay que decirlo con gran
  admiración, pero nunca
  humillados, porque
  entonces significa amo.
  Comentario un pelín pedante.

- Mal de muchos, **Bad of many, confort**
  consuelo de tontos **for the silly**
  (bad of meni confort
  for de seli).
  Ésta puede que se la pillen,

aunque debido a su acento
lo dudamos.
Para qué le vamos a engañar.

• Mala sangre **Bad blood**
(bad blod).

• Mala uva **Bad grape**
(bad greip).
El jefe está de mala uva.
The boss is of bad grape
(de bos is of bad greip).

Mala baba	Bad spittle
	(bad espitl). ¡Qué mala baba tienes! **What a bad spittle** **you have!** (güat a bad espitl yu jav!). ¡Qué frase más fea!

• Mala pata **Bad leg**
Desde luego tiene una mala
pata el pobre.
From after he has such a
bad leg the poor
(from afta ji jas soch ei bad
leg de puar).
Domine ésta y dominará
esta jerga.

- Maleta

Suitcase
(sutqueis).
¡Qué maleta eres!
What a suitcase you are!
(güat a sutqueis yu ar!).

- Mamarse

To suck
(tu soc).
Llevaba una mamada.
He carried a suck
(ji carrid a sock).

- Mamón

Suckling
(soclin).

- Mamonazo

Big suckling
(big soclin).
Use también
supersuckling
(supasoclin).

- Manolo, dos con
  leche y uno solo

**Malone, two with
milk and one alone**
(Maloun tu güiz
melk and uan aloun).
No hay Manolos en los
bares de Alabama.

- Marchando
  una de...

Marching one of...
(marchin uan of...).

- Marear la perdiz

  To make the partridge sick
  (tu meik de partrich sec).

- Marica playa

  Beach queer
  (bich qüier).
  Dígalo junto: bichqüier,
  es más natural.

- Marrón

  Brown/brownie
  (braun/brauni).
  No me pases el marrón.
  Don't pass me the brown
  (dont pas mi de braun).

Marronazo	Big brown
	(big braun).
	¡Qué marronazo!:
	What a big brown!
	Alternativa: *Superbrown.*

- Más contento
  que un tonto
  con una tiza

  As happy as a silly with a chalk
  (as japi as a seli güiz a choc).

- Más chulo que
  un ocho

  As showy as an eight
  (as shoui as an eit).

- Más bonito que un
  San Luis

  As nice as a Saint Louis
  (as nais as a Seint Lúis).

Saint Louis de Missouri,
por ejemplo.

• Más viejo
que Carracuca

Older than Carracuca
(olda dan Caracoca).
Fíjese bien en la pronunciación de Carracuca
(Caracoca), como si no
pasara nada.

• Más raro que
un perro verde

As funny as a green dog
(as fani as a grin dog).
Hay dos *funny*.
1. *Funny* = ja, ja, ja.
2. *Funny* = peculiar, raro,
extraño.
Admire la profundidad
de la información que
ofrecemos.
Pero tampoco se fíe.

• Más largo que
un día sin pan

**Longer than a
breadless day**
(longa dan a bredles dei).

• Más tonto
que Abundio

Sillier than Abundio
(silia dan Abondiou).
De nuevo, la pronunciación
de Abundio es
trascendental.

- Más vale pájaro en mano que ciento volando

  Better bird in hand than a thousand flying
  (beta berd in jand dan a zousan flaing).
  Diez puntos si lo dice a la primera. Si lo consigue guarde los diez puntos y obtendrá un descuento especial al final de la jugada. Ahora céntrese y siga.

Me largo | **I long myself**
(ai long maiself).
O, como alternativa, diga simplemente: *Ailong*.

- ¡Me cago en la leche!

  I shit on the milk!
  (ai shit on da melk!).
  B*ut why*?, diría cualquier inglés ante tamaño disparate. No vea lo que diría un holandés.

- ¡Me cago en la mar!

  I shit on the sea!
  (ai shit on da sí!).
  Muy cabreado, ¿eh?
  ¡Ojo con Grin Pis!

- ¡Me cago en diez!

  I shit on ten!
  (aì shit on ten!).
  Y me llevo una.

Más vale pájaro en mano que ciento volando
Better bird in hand than a thousand flying

- ¡Me cago en tu estampa!

I shit on your print!
(ai shit on yor print!).
¡Qué descriptiva!

- Me importa un rábano

I don't care a radish
(ai dont quer a radish).

- Me importa un pimiento

I don't care one pepper
(ai dont quer uan pepa).

- Meter en un puño

To put in a fist
(tu put in a fist).

- Meter un paquete

To give a pack
(tu guiv a pack).
Te voy a meter un paquete
que te vas a enterar.
**I'm going to give you
a pack that you are going
to find out**
(aim goin tu guiv yu a pac dat
yu ar goin tu faind aut).

- Meter la gamba

To insert the prawn
(tu insert da praun).
Se pasa el día venga a meter
la gamba.
**He passes the day come to
insert the prawn**
(ji pases de dei com tu

insert de proun).
No diga ésta si no
quiere meterla.

• Meterla doblada **To place it folded**
(tu pleis it foulded).
Francamente ordinaria.

• Mi gozo en un pozo **My joy in a well**
(mai yoi in a güel, Manuel).
Aquí, Manuel es opcional.

Mono, monísimo **Monkey, very monkey**
(monqui, veri monqui).
He visto un bolso monísimo.
**I've seen a handbag very
monkey**
(aif sin a jandbag
veri monki).
Frase típica de
highlander (ver).

• Monumento **Monument**
(moniument).
Esa tía es un monumento.
That aunt is a monument
(dat aunt is a moniument).

• Mosca cojonera **Balls fly**
(bols flai).

N

- Nadie te ha dado
  vela en este
  entierro

  **Nobody gave you a candle
  in this burial**
  (noubori gueiv ya
  a candel
  in dis burial).

- Ni flores

  Nor flowers
  (nor flouers).

- Ni harto de vino

  Not even full of wine
  (not iven ful of guain).

- Ni borracho
  de Casera

  **Not even drunk with
  «Landlady»**
  (not iven dronk guiz
  «Landleidi»).
  De enorme finura.

- Ni hablar del
  peluquín

  **Nor speak about
  the toupée**
  (nor espik abaut
  da tupé).

- Ni jota

  Nor J
  (nor yei).
  No sabe ni jota.
  He knows nor J
  (ji nous nor yei).

- No dejar títere con cabeza

Not to let puppet with head
(not tu let popet güiz jed).

- No hay moros en la costa

No moors on the coast
(no muors on da coust).

- No saber de qué va la guerra

Not to know what the war is all about
(not tu nou güat de güor is ol abaut).
No se entera de qué va la guerra.
He doesn't know what the war is all about
(ji dosent nou güat da güor is ol abaut).

No dar ni palo	Not to give a stick
	(not tu guiv a estic).

- No dar ni clavo

Not to give nail
(not to guiv neil).
Macho, ¡qué vacaciones!, no di ni clavo.
Male, what a holiday!, I didn't give a nail
(meil, guat a jolidei!, ai dident guiv a neil).

- No dar ni chapa **Not to give plate**
  (not to guiv pleit).

- No está el horno **The oven is not for**
  para bollos **buns**
  (de ouven is not for bons).

- No pegar ni sello **Not to stick a stamp**
  (not tu estic a estamp).

- No tener ni **Not to have a carnation**
  un clavel (not tu jav a carneishion).
  No tengo un clavel.
  I don't have a carnation
  (ai dont jav a carneishion).

- No es más tonto **He is not sillier because**
  porque no se **he doesn't train**
  entrena (ji is not silier bicos ji dosent
  trein).
  ¡Qué gran verdad!

- No tener ni una **Not to have a fat one**
  gorda (not tu jav a fat uan).
  No tengo una gorda.
  I don't have a fat one
  (ai dont jav a fat uan).

- No dar pie con **Not to give foot with ball**
  bola (not tu guiv fut güiz bol).

No está el horno para bollos   **The oven is not for buns**

- No tener ni
una perra

Not to have a bitch
(not tu jav a betch).
No tengo ni una perra gorda.
**I don't even have
a fat bitch**
(ai dont iven jav
a fat bitch).

No dar ni golpe	Not to give a blow

Not to give a blow
(not tu guiv a blou).
No da ni golpe, el tío.
**He doesn't even give a
blow, the uncle**
(ji dosent iven guiv a blou,
di oncle).
Prepare ésta, si se la
aprende bien podrá decirla
delante de su jefe sin que
éste se entere.

- Aquí no hay tu tía

**Here there is not your
aunt**
(jier der is not yor aunt).
Genuina, auténtica y a la vez
inapelable.

- No vender una
escoba

Not to sell a broom
(not tu sel a brum).
Salí anoche y no vendí una
escoba.

**I went out last night
and I didn't sell a broom**
(ai güent out last nait and
ai dident sell a brum).
¿De qué se sorprende?

• No ver tres
en un burro

**Not to see three
on a donkey**
(not tu si zri on a donki).
Estoy que no veo tres
en un burro.
**I am that I don't see
three on a donkey**
(ai am dat ai dont si zri
on a donki).

• No todo el monte
es orégano

**Not all the mountain is
marjoram**
(not ol de mountein is
maryoram).
¿Qué se creía?

• No ver ni moco

Not to see even a mucus
(not tu si iven a mocus).
Versión corta:
Not to see mucus.
Versión abreviada:
NTSM
(en-ti-es-em),
para los yanquis.

- No es moco
  de pavo

  It is not turkey's mucus
  (it is not terquis mocus).
  ¿Qué es entonces?

- No decir esta boca
  es mía

  **Not to say this mouth
  is mine**
  (not tu sei dis mauz is main).
  Le dieron una manta de leches
  y no dijo esta boca es mía.
  **They gave him a blanket of
  milks and he didn't say this
  mouth is mine**
  (dei gueiv jim a blanquet of
  melks and ji dident sey dis
  mouz is main).
  Atrévase con ésta.
  ¡Campeón!

No decir ni pío	Not to say a cheep
	(not to sei a chip).

- No decir ni mu

  Not to say moo
  (not tu sei mu).

- No hay mal que
  por bien no venga

  **There is no bad that
  doesn't come for good**
  (deris nou bad dat dosent
  come for gud).
  Ésta también puede que
  se la pillen. Aun así,

insistimos en que su pronunciación disfraza cualquier traza de inteligibilidad. *Sorry*.

- Nos ha cagao el palomo

  The pigeon shit on us (de pidyeon shit on us).

- Nos van a dar las uvas

  It is going to give us the grapes (it is goin tu guiv as de greips). Ésta es fantástica y va fenómeno siempre.

O

- ¡Ostras, Pedrín!

  Oysters, Pete! (oisters, Pit!). Antológica.

- Otro gallo cantara

  Another cock would sing (anoda coc wud sing).

P

- Pagar a escote

  To pay low neck (tu pei lou nec).

- Pagar a toca teja **To pay touch tile**
  (tu pei toch tail).

- Pagar el pato **To pay the duck**
  (tu pei de doc).
  Siempre tengo que pagar el
  pato yo.
  I always have to pay the duck
  (ai olgüeis jav tu pei de doc).
  Pues no se deje.

Pagar en carne	To pay in flesh
	(tu pei in flesh).
Gran idea, ya en desuso.

- Paliza **Beating**
  (biting).
  Es un paliza.
  Is a beating
  (is a biting).
  Dar la paliza.
  To give the beating
  (tu guiv de biting).
  Esto ya sale en otra parte,
  pero siempre viene bien
  para que no se le olvide.

- Pan con pan **Bread with bread food**
  comida de tontos **for the silly**
  (bred güiz bred fud

for the sili).
Ésta se la pillan, fijo.

- ¡Para el carro!

  Stop the cart!
  (estop de cart!).
  Como imponiéndose,
  usted ya entiende.

- Para muestra vale
  un botón

  A buttom for a sample
  (ei bóton for a sampl).

- Pasarse de castaño
  oscuro

  **To pass from dark
  chestnut**
  (tu pas from dark chestnot).

- Pasada (la)

  The passing
  (de pásin).
  ¡Qué pasada!
  What a passing!
  (güat a pasin!).

- Pasarlo bárbaro

  To pass it barbarian
  (tu pas it barbarian).
  Cuanto menos, inesperada.

- Pasarlo teta

  To pass it tit
  (tu pas it tit).
  Anoche lo pasamos teta.
  Last night we passed it tit
  (last nait güi pass it tit).

- Pasarlo pipa

  To pass it pipe
  (tu pass it paip).
  Versión fumador.
  To pass it seed
  (tu pas it sid).
  Versión para el que ha
  dejado de fumar.

- Patinarle el
  embrague

  To skid the clutch
  (tu esquid de cloch).

- Pedirle peras
  al olmo

  **To ask pears from
  the elm**
  (tu ask pears from di elm).

- Pedir cuentas al
  pregonero

  **To ask counts from the
  town crier**
  (tu ask caunts from de taun
  craier).
  Esta frase es de enorme com-
  plicación. En primer lugar
  porque es larga y en segundo
  lugar porque ya no es fácil
  encontrar pregoneros.

- Pelín

  Little hair
  (litel jer).
  Un pelín borde.
  A little hair edge
  (a litel jer ech).

- Pensar en
las musarañas

To think in the shrews
(tu zink in de shrus).

- Perder pluma

To lose feather
(tu lus feder).

- Perra chica

Little bitch
(litel bich).
No tengo una perra chica.
I don't have a little bitch
(ai dont jav a litel bitch).

Plasta	Lump
	(lomp).
	Eres un plasta.
	You are a lump
	(yu ar a lomp).

- Pico

Peak
(pic).
Me ha costado un pico.
It cost me a peak
(it cost mi a pic).

- Pilla por la orilla

Get it by the bank
(guet it bai de bank).
Bank, también significa orilla
de río, que nadie piense mal.
Aunque sabemos
que no va a ser fácil.

- Polvo

  Dust
  (dost).
  Un buen...
  A good...
  (a gud...).
  «'nolvidable».

- Pollos contra
  pajaritos

  Chicken versus little birds
  (chiquen versos litel berds).
  Te apuesto pollos contra
  pajaritos.
  **I bet you chicken versus
  little birds**
  (ai bet yu chiquen versos
  litel berds).

- Poner verde
  a alguien

  To put someone green
  (tu put somuan grin).
  Ése pone verde a todo
  el mundo.
  **That puts
  everybody green**
  (dat puts evribari grin).

- Poner a cien

  To put at one hundred
  (tu put at uan jandred).

- Ponerse morado
  a copas

  **To put yourself purple
  with cups**

(tu put yorself porpel güiz cops).

- Ponerse las botas **To put the boots**
  (tu put de buts).

- Ponerse el mono **To wear the monkey**
  (tu güear de monqui).

Porra	Club
	(clob).
¡Vete a la porra!	**Go to the club!**
	(gou tu de clob!).
	Véase cómo hemos descubierto que la porra, en inglés, es un lugar social. «'pecable». Profundísimo. «Geniá».

- Pulir o pulirse algo **To polish**
  (tu polish).
  Y se pulió todo lo que tenía. **And he polished everything he had** (and ji polishd evrizing ji jad).

- Pulpo **Octopus**
  (octopos).

Q

• ¡Que te parta
un rayo!

That a ray breaks you!
(dat a rey breiks you!).
Ya sabe, con el tono
a little hair cabreao.

• ¡Qué de qué!

What of what!
(guat of guat!).
Tono entre cabreao y
chulesco madrileño.
Imponiéndose.

• Que me quiten
lo bailao

**Let them take away my
dancing**
(let den teik auei mai
dansing).
De nuevo, ésta es de
profesional.
Si la dice con naturalidad
es usted un genio.
(yu ar a yinius).

• Que lo haga Rita

Let Rita do it
(let Rita du it).
Rita la cantaora.
Rita the singer
(Rita da singa).

• Quedarse nota

I am note

(ai am nout).
Pues espabile.

• Quedarse

To remain
(tu rimein).
Estoy totalmente quedao.
I'm totally remained
(aim toutali rimeind).
¡Ánimo compañero,
que no es usted
el primero!

Quesos	Cheeses
	(chises).
	Tus quesos huelen mal.
	Your cheeses stink
	(yor chises estink).

• Quien se pica
ajos come

If you pike you eat garlic
(if yu paik yu it garlic).

R

• Rajar

To split
(tu esplit).
Esa señora raja un montón.
That lady splits a pile
(dat leidi esplits a pail).
De enorme eficacia.

- Retratarse **To photograph**
  (tu foutograf).
  Venga tío, retrátate.
  Come on uncle photograph
  (com on oncl foutograf).

- Reunión de pastores, **Shepherds meeting,**
  oveja muerta **dead sheep**
  (sheperds miting, ded ship).

S

- Sábado sabadete, **Saturday, little saturday,**
  camisa limpia y **clean shirt and little dust**
  polvete (saterdei, litel saterdei, clin
  shert and litel dost).
  ¡Otros tiempos!

- Sacar tajada **To get slice**
  (tu guet eslais).

- Salir rana **To come off frog**
  (tu cam of frog).
  Pocas tan sencillas.

- Sé dónde me **I know where the shoe**
  aprieta el zapato **tightens**
  (ai nou güere da shu
  taitens).

Ser un piernas   **To be one legs**

- Ser un pelagatos

To be a cat peeler
(tu bi a cat piler).

- Ser un bombón

To be a chocolate
(tu bi a chocoleit).

- Ser un turrón

To be a nougat
(tu bi a nugat).
Está como un turrón.
She is like a nougat
(shi is laik a nugat).

- Ser un bacalao

To be a cod
(tu bi a cod).

- Ser un pinta

To be a pint
(tu bi a paint).
To be a pint of Guinness
(tu bi a paint of Guines).
Es decir, ser tan golfo
que sales en el libro
Guinness de los récords...

- Ser un piernas

To be one legs
(tu bi uan legs).

- Ser más simple
que el mecanismo
de un cubo

**To be more simple than a
bucket's mechanism**
(tu bi mor sempl dan a
boquets mecanisem).

- Ser un pringao   **To be a dipper**
(tu bi a dipa).

- Ser de la acera de   **To be of the opposite**
enfrente   **sidewalk**
(tu bi of de oposit saidgüoc).

- Ser la Biblia en   **To be the Bible in verse**
verso   (tu bi de Baibol in vers).

- Ser más bueno   **To be as good as bread**
que el pan   (tu bi as gud as bred).

Ser un feto   **To be a fetus**
(tu bi a fitos).

- Ser un capullo   **To be a bud**
(tu bi a bod).

- Ser más marica   **To be as queer as a**
que un palomo cojo   **crippled pigeon**
(tu bi as quier a cripeld
pidyeon).
Para decir ésta, necesita
enorme dedicación.
Ahora bien, ya sabe que el
esfuerzo paga.

- Ser un carroza   **To be a carriage**
(tu bi a carrieich).

- Ser un farolero

To be a lamplighter
(tu bi a lampláita).
Tirarse un farol.
To throw a lamp
(tu zrou a lamp).

- Ser más corto
que las mangas
de un chaleco

**To be as short as a
waistcoat's sleeves**
(tu bi as short as a
güeistcouts eslivs).
Ande con cuidado, ésta
se la pueden pillar.

- Ser más corto que
el rabo de una
boina

**To be as short as a
beret's tail**
(tu bi as short as a berets teil).
Ésta lo mismo que la
anterior, pero versión
paleto.

- Ser un culo de mal
asiento

To be a bad seat ass
(tu bi a bad sit as).
No confundir *seat* con *shit*.

- Ser un callo

To be a corn
(tu bi a corn).

- Ser de cajón

To be of drawer
(tu bi of drauer).
Esto es de cajón.

This is of drawer
(dis is of drauer).

• Ser un viva
la virgen

**To be an up with
the virgin**
(tu bi an ap güiz de virgin).

• Ser un primo

To be a cousin
(tu bi a cosin).

Ser un berzas	To be a cabbage
	(to bi a cabeich).
	Fulanito es un berzas.
	Foolaneeto is one cabbage
	(Fulanitou is uan cabeich).
	¡Ojo con la pronunciación
	de *Foolaneeto*!
	Luego no diga que no se lo
	hemos avisado.

• Ser un lince

To be a lynx
(tu bi a linx).
Menganito es un lince.
Menganeeto is one lynx
(Menganitou is uan linx).
Aquí lo mismo, atento a la
pronunciación de *Menganeeto*.

• Ser un calzonazos

To be a big pants
(tu bi a big pants).

Es un calzonazos y un
mamón.
**He is a big pants
and a suckling**
(ji is a big pants and a
socling).
No hay que pasarse, tampoco.

• Sin oficio
ni beneficio
Without craft nor profit
(güizout craft nor profit).

• Sin arte ni parte
Without art nor part
(güizaut art nor part).

• Sin ton ni son
Without ton nor sound
(güizaut ton nor saund).
Es decir, sin tonelada ni
sonido.

• Soplar
To blow
(tu blou).
Ese tío sopla que no veas.
**This uncle blows that you
don't see**
(dis oncl blous dat yu
dont si).

• Soplagaitas
Pipeblower
(paipblouer).
Úsela en Escocia.

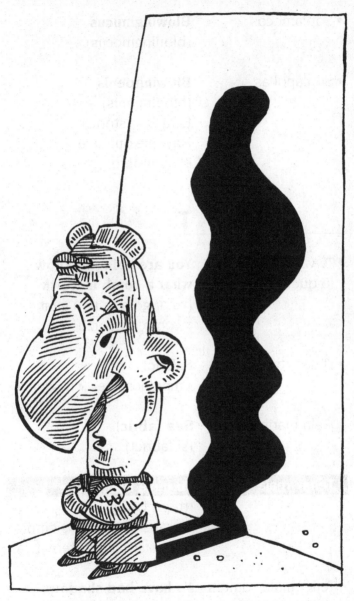

Tener mala sombra   **To have bad shadow**

- Soplamocos

Blowingmucus
(blouingmocus).

- Soplapollas

Blowingpenis
(blouinpenis).
Ésta es histórica.
Hay que quitarse
el sombrero.

T

- Te vas a enterar de **You are going to know**
lo que vale un peine **what a comb is worth**
(yu ar goin to nou güat
a comb is güorz).

- ¡Tela!

Fabric!
«'mpresionante», «'nesperao».

- ¡Tela marinera!

Sea fabric!
(si fábric!).

Tener mala uva	To have bad grape

To have bad grape
(tu jav bad greip).
Ya sabe usted que siempre
tiene *milk* como alternativa.

- Tener mala sombra **To have bad shadow**
(tu jav bad shadou).

- Tener cocodrilos en los bolsillos **To have crocodiles in the pockets** (tu jav crócodails in de poquets).

- Tener más capas que una cebolla **To have more layers than an onion** (tu jav mor leiyers dan an onion).

- Tener flojo el fuelle **To have a weak blower** (ju jav a güic blouer).

- Tener ideas de bombero **To have fireman ideas** (tu jav fairman aidias). Antológica. Por cierto, nada contra el Cuerpo.

- Tener la sartén por el mango **To have the pan by the handle** (ju hav de pan bai de jandel).

- Tener... castañas **To be... chestnuts** (tu bi... chestnots). Acabo de cumplir 40 castañas. **I've just turned forty chestnuts** (aiv yost ternd forti chestnots).

- Tener... tacos — **To be... pegs**
(tu bi... pegs).
Tengo 40 tacos.
I am forty pegs old
(ai am forti pegs ould).

- Tener manga ancha — **To have wide sleeve**
(tu jav güaid esliv).

- Tener mono de... — **To have monkey of...**
(tu jav monqui of...)
Fácil, inolvidable.

Tener en el bote — **To have in the can**
(tu jav in de can).
Te tengo en el bote, mona.
I have you in the can, female monkey
(ai jav yu in de can fimeil monqui).
¡Venga ya!

- Tenerlos de corbata — **To have them as a tie**
(tu jav dem as a tai).

- Teta pura — **Pure tit**
(piur tit).

- ¡Tío! — **Uncle!**
(oncl!).

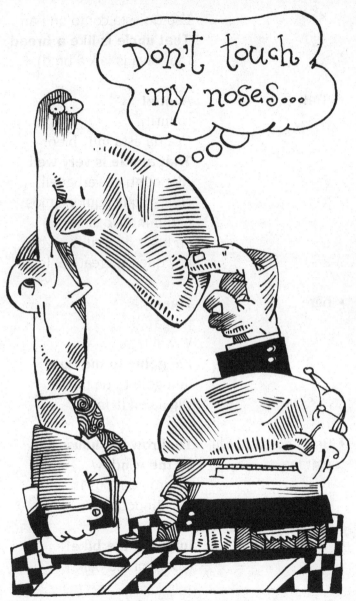

Tocar las narices   **To touch the noses**

Ese tío está como un pan.
That uncle is like a bread
(dat oncl is laik a bred).

- ¡Tía!

Auntie!
(ounti!).
Esa tía está muy bien.
That auntie is very well
(dat ounti es veri güell).
Nótese que aquí usamos
el diminutivo *auntie*
en lugar de *aunt*. Y es que
hay que ser creativo, leñe.

- Tigre

Tiger
(taiga).
Voy al tigre.
I'm going to the tiger
(am goin tu de taiga).
Dígala en la India.

- Tirar la casa por la
  ventana

**To throw the house
by the window**
(tu zrou da jous bai
de güindou).

- ¡Tírate de la moto!

Jump off the bike!
(yomp of the baik!).

- Tocar las narices

To touch the noses

(tu toch de nouses).
No me toques las narices.
Don't touch my noses
(dont toch mai nouses).

• Tontolaba   **Sillybean**
                     (silibin).
                     Tóojunto.

• Traer al fresco   **To bring to the fresh**
                     (tu bring tu de fresh).
                     Eso me trae al fresco.
                     **That brings me to
                     the fresh**
                     (dat brins mi tu de fresh).

Tragar	Swallow

(sualou).
¡No tragues por ahí, tío!
**Don't swallow by
there, uncle!**
(dont sualou bai der, oncl!).

• Trasconejarse   **To transrabbit**
                     (tu transrabet).
                     No hay palabras.

• Trompa   **Horn**
                     (jorn).
                     Ese tío está trompa.

That uncle is horn
(dad oncl is jorn).

- Tronco

  Trunk
  (tronc).
  ¡Qué pasa tronco!
  What pass trunk!

- Tronqui

  Little trunk
  (litel tronc).
  Aquí mi tronqui.
  Here my little trunk
  (jier mai litel tronc).

U

- Un kilo

  One kilo
  (uan kilou).
  Un kilito.
  One little kilo
  (uan litel kilou).
  Así de fácil.

- Un sol y sombra

  One sun and shadow
  (uan son and shadou).
  Compárese la delicadeza de
  esta inofensiva bebida con
  la vulgaridad del güisqui.
  No hay color.

- Un tiro **A shot**
(ei shot).
Ese coche es un tiro.
That car is a shot
(dat car is a shot).

- Una y no más **One and no more**
  Santo Tomás **Saint Thomas More**
(uan and nou mor Seint
Tómas Mor).
¿Ve cómo aquí también rima?

V

Vacaburra	**Donkeycow**

(donkicáo).
Se puede optar también
por **cowdonkey**
(caodonqui).
Pero, como los ingleses siempre
cambian el orden de todo,
recomendamos la primera.

- Vacas flacas **Thin cows**
(zin caos).
Estamos en las vacas flacas.
We are in the thin cows
(güi ar in de zin caos).
Vamos, un caos.

- ¡Vaya tomate!

  What a tomato!
  (güat a tomeitou!).
  Esto hay que decirlo
  siempre dos veces:
  Güat a tomeitou!
  Güat a tomeitou!

- ¡Vaya potra!

  What a filly!
  (güat a file!).
  Siempre tienes potra.
  You always have filly
  (yu olgüeis jav file).

- Venir al pelo

  To come to the hair
  (tu come tu de jer).
  Me viene al pelo.
  It comes to the hair
  (it comes to de jer).

- Vérsele a uno
  el plumero

  To see the feather duster
  (tu sí de feda dosta).
  Se te ve el plumero.
  **We can see your feather
  duster**
  (güi can si yor feda dusta).

- Vete a cagar
  a la vía

  Go to shit to the tracks
  (gou to shet tu da tracs).

- Vivir como un cura

  To live like a priest

Venir al pelo **To come to the hair**

(tu liv laik a prist).
Macho, vives como un cura.
Male, you live like a priest
(meil, you liv laik a prist).

Viruta	Shavings
	(sheivings).
Virutón.	
	Supershavings
	(supersheivings).
Tener virutón.	
	To have supershavings
	(tu jav supersheivings).

Y

- ¡Y mi culo
  un futbolín!

  **And my ass a table
  football!**
  (and mai as a teibol futbol!).

- ¡Y una mierda
  pinchada en un
  palo!

  And a shit stuck in a stick!
  (andashitestocinaestic!).
  Si fue capaz de aprender
  eso de «supercalifragilisti-
  coespialidoso», esto
  es más fácil.

- ¡Y un cuerno!

  And a horn!
  (and a jorn!).

- ¡Y un jamón!

  And a ham!
  (and a jam!).

- ¡Y un huevo!

  And an egg!
  (and an eg!).

Z

- Zorrón

  Big fox
  (big fox).
  ¡Ay zorrón, zorrón!
  Ah, big fox, big fox!
  (a big fox, big fox!).

- «Zacabó»

  The End
  (diend).

INTERNET CAÑÍ

¿Por qué? Pero, ¡por qué demonios vamos a tener que hablar de la red también en inglés! En inglés ya navegan los *marines*, los pilotos y los astronautas.

Pero no nosotros. Nosotros somos gente normal, del pueblo, de la calle, Juan Español, Paca Cañí, Jonathan Pérez... individuos sencillitos que hablamos español en los bares, en el metro, en el fútbol, en la piscina y en el hidropedal. Nadie alquila un hidropedal en Calpe diciendo: «*Excuse me mister, may I rent a waterpedal to give myself a volt with the relative, please*?» Se va al encargado y mirando así, como de refilón, se pregunta: «¿A cuánto está este año la hora?» Y contesta el señorcito: «A tres quini.» Entonces uno se da la vuelta y le dice a la parienta: «Vamos p'al toldo, Sagrario, que por tres quini a la hora te me subes a la espalda y te llevo donde quieras.»

Cogen el matiz ¿no? En cambio, sin salir de la playa, espanto de lugar, te encuentras a dos señores sentaditos en la orilla, muy serios, hablando así:

—Pues puse un *banner* con el nombre de la ferretería para animar las ventas y na de na.

—¿Pero hiciste un *link* con las herramientas?

—No, pero pensé en una *web*.

—Sí, en el fondo lo mejor es un *site*.

¡Anda ya, por Dios! Esto es ridículo.

Hay que hacer algo al respecto, no podemos ir por la vida hablando como Bill Gates (Guille Puertas), nosotros no somos americanos, somos gente latina, la tira de normal. Aquí lo que se nos da bien es la zampa, la siesta, la música, las letras (excepto las de cambio), la charla y otras muchas cosas inteligentes de toda la vida. La informática está bien, pero hay que tomársela con calma, reflexionar, adaptarla a nuestra forma de hablar, hacerla comprensible, masticable, digerible.

Por eso proponemos un código básico, una lista sencillita de nombres nuevos, pero clásicos, una forma coloquial de hablar de la red sin quedar atrapados. Ahí va, al que le guste que la use:

• Internet: **La Entrerred**
Este bonito nombre aglutina dos palabras continuamente utilizadas en este argot: Entrar y Red. Impecable. Si decimos internet, ¿por qué no *interleg*?

- Web:

Ya explicamos en nuestro segundo libro (*Speaking in Silver*) que *web* son realmente las iniciales de Wendoline Enríquez Benito, por tanto aquí no hay más que decir. Nombre secreto: *Gué*, o, *la gué*.

- Browser:

El Cotilla

El que mira aquí, allá, se mete en todo, busca, ojea, curiosea.

Site: **El Solar**

Uno tiene un solar y allí construye lo que le da la gana. Pues si usted tiene un *site*, tiene un solar, y ponga allí, eso, lo que se le ponga.

- Duplex:

Doblete

Envías y recibes. A la vez. P'acá, p'allá. Emites y captas, la cosa está clara, te estás marcando un doblete.

- Handshake:

Chócala

¡Qué mejor forma de reconocer a alguien! ¡Choca esas cinco, tío!, le dijo un aparato a otro.

- Intranet: **Red intenna,** o mejor, simplemente «*la intenna*». O sea, que si le tienes que enviar algo a alguien por la red privada de tu empresa pues le dices: «te lo mando por la *intenna*», que es más acogedor.

- Mail Server: **El Cartero**
Si es que está claro, a ver, ¿quién es el que se ocupa de que llegue el correo, el que lo distribuye correctamente? Vamos, que nos vamos.

- WWW: **6 uves**
Evidentment. Tres uves dobles = 6 uves. Te ahorras una palabra y tiras porque te toca. Nombre realmente técnico: *Las dóblius*.

- Surfer: **El Paseante**

Mail Server: **El Cartero**

El que, tranquilamente, disfruta de un recorrido mirando por aquí, mirando por allá, ahora me paro un ratito, aquí me tomo una cañita, mira qué tienda tan chula... Un surfista es un señor (o señora) encima de una ola; actividad peligrosísima para la que hay que estar cachas y encima, como te descuides, te das un revolcón. ¡Quiá!

• Chat:

La Tertulia

Más claro que el agua. ¿Ustedes se imaginan a un francés usando *chat* (gato)? Aquí, en cambio, decimos: «voy a *chatear* un rato». Esto es un insulto a la más pura tradición española. Aquí, *chatear* es irse de chatos, de vinos, de chiquitos. Actividad civilizada donde las haya. Lo otro es hablar en una tertulia, como los romanos, los artistas y los periodistas radiofónicos.

Otra acepción bonita y genuina: *charleta*.

<table>
<tr><td>Link:</td><td>El Enlace</td></tr>
<tr><td></td><td>¡Quién no ha tenido un enlace en la mili!
¡Quién no ha tenido un enlace sindical!
¡Quién no ha hecho un enlace ferroviario en Medina del Campo!
¿No le gusta enlace porque parece muy seria?, pues utilice «enganche». Como el «banderín de».</td></tr>
</table>

• Banner: **Pancarta**

Está clarísimo. Superficie rectangular donde se escriben o dibujan cosas. La usamos continuamente:

En el fútbol: «Van Gaal-vamos mal.»

En la fábrica: «¡Consejeros dimisión!»

En la mani: «Otan no, bases fuera, *Yanquis go home.*»

En la publicidad: «Contra el mareo pastillas Mateo.»

Pues nada, en la red todo el mundo con *banners* por aquí, *banners* por allí. Paletos somos.

• e-mail:

Nada de correo electrónico, compartimos la corriente popular: un *emilio*. Si quiere confundir a un angloparlante dígale: «I *am going to send you an emily.*» Y a correr. Hablando de correr, también proponemos como sustituta de *emilio* la acepción «*correle*» que viene de *correo electrónico* y está en la línea cañí de «bocata», «ejecuta», «currela», etc. Ej.: «Te mando un correle echando virutas.» «I *send you a correle throwing shavings.*»

• Hacker:

Chorizo
Es decir alguien que entra sin permiso con el objetivo de robar o j... la marrana. En plan fino llámeles «*chorirré*», (chorizo en red).

- Wysiwyg:

Clavao

Lo que ves es lo que tienes, o lo que recibes. Lo mismo en pantalla que en papel. Es decir, clavaíto.

- @:

A macho

Esto no es una arroba. Una arroba es una medida de peso de poco más de once kilitos. En arrobas se habla del peso de un cerdo, *for example*. Por evidentes razones gráficas esto, @, es una a macho.

- Geek:

Colgao

Si alguien está enamorao perdío de alguien se dice que está colgaíto ¿no? Pues los que están todo el día a vueltas con la red, enamorados, están colgaos. ¿Por qué no llamarlos *geeks*? Pues porque aquí, *geek*, no significa nada.

- Hit:

Toque

Básicamente, lo que se dice básicamente, el número de

veces que te han tocao la *web*.

¿Cuántas veces te han tocado la *web*?

¡No me toques la *web*, no me toques la *web*...!

LA DESMITIFICACIÓN
DEL MITO

Si piensa que los actores, actrices, cantantes y otros héroes famosos made in USA o UK tienen nombres arrebatadores, desengáñese.

Después de leer las próximas líneas pensará que donde estén Rabal, Xan das Bolas, Folledo, Los Brincos y otros locales, que se quiten los demás. Palabra (Word).

A

- **Abbot, Bud**   Capullo Abad

- **Armstrong, Louis**   Luis Brazofuerte

- **Andrews, Julie**   Julia Andreses (o de Andrés)

- **Aerosmith**   Aerolópez (Traducción libre). Aeroherrero (Traducción cautiva).

B

- **Baker, Carol** — Carola Panadero

- **Ball, Lucille** — Lucila Pelota

- **Bates, Alan** — Alano Disputas

- **Beach Boys, The** — Los Chicos de la Playa

- **Blondie** — Rubita

- **Blood, Sweat and Tears** — Sangre, Sudor y Lágrimas

- **Boy George** — Chico Jorge

- **Brooks, Mel** — Mel (Melchor) Arroyos

- **Brown, James** — Jaime Marrón

- **Burton, Richard** — Ricardo Palanquín

- **Bond, James Bond** — Vínculo, Jaime Vínculo, o Bono, Jaime Bono.

C

- **Cash, Johnny** — Juanito al Contado

- **Chapman, John** — Juan Buhonero

- **Clay, Casius**   Casio Arcilla

- **Cliff, Jimmy**   Jaimito Acantilado

- **Cross, Cristopher**   Cristóbal Cruz

- **Cruise, Tom**   Tomás Crucero

- **Cranberries**   Arándanos
(versión local: Los Pacharanes)

- **Crusaders, The**   Los Cruzados

D

- **Daisy
(novia de Donald)**   Margarita

- **Day, Doris**   Doris (Dorita) Día

- **Dean, James**   Jaime Decano

- **Dire Straits**   Situación Fatal
u Horribles Apuros

- **Doors, The**   Las Puertas

E

- **Eagles, The**   Las Águilas

- **Electric Light Orchestra, The** La Orquesta Luz Eléctrica

- **Earth, Wind and Fire** Tierra, Viento y Fuego

F

- **Farrow, Mia** Mía Lechón

- **Fields, Sally** Salida Campos

- **Finch, Peter** Pedro Pinzón

- **Ford, John** Juan Vado

- **Foreman, John** Juan Capataz

- **Fox, Michael, J.** Miguel J. Zorro

- **Fonda, Henry** Enrique Fonda

- **Fuller, Samuel** Samuel Batanero

- **Flintstones, The** Los Pedernales

G

- **Garland, Judy** Judit Guirnalda

- **Gump, Forrest** Forrest Bobo

H

- **Hammer, Mike**   Miguelito Martillo

- **Holden, William**   Guillermo Cogido

- **Hope, Bob**   Berto Esperanza

- **Hood, Robin**   Petirrojo Capucha

- **Hooker, John Lee**   Juan Socaire Furcia

- **Hitchcock, Alfred**   Alfredo Atagallo

I

- **Irons, Jeremy**   Jeremías Hierros

- **Iron Butterfly**   Mariposa de Hierro

J

- **Jackson, Glenda**   Glenda de Juan

- **Jackson, Michael**   Miguel de Juan

L

- **Lake, Verónica**   Verónica Lago

- **Laurel, Stan**   Estanis Laurel

- **Lee, Cristopher**   Cristóbal Sotavento

- **Little Richard**   Pequeño Ricardo

- **Lynch, David**   David Linchar

- **Lemmon, Jack**   Juan «Limmón»

- **Lombard, Carol**   Carola Lombardo

M

- **Mature, Victor**   Víctor Maduro

- **Miles, Vera**   Vera Millas

- **Miller, Arthur**   Arturo Molinero

- **Mason, James**   Jaime Albañil

- **McQueen, Steve**   Estebitan de la Reina

- **Mickey Mouse**   Miguelito Ratón

- **Michael, George**   Jorge Miguel

N

- **Newman, Paul**   Pablo Hombrenuevo

- **Nicholson, Jack**   Juan de Nicolás

O

- **Olivier, Laurence**   Lorenzo Oliverio

- **Oldfield, Mike**   Miguelito Campoviejo

P

- **Palmer, Robert**   Roberto Palmero

- **Page, Geraldine**   Gerarda Página

- **Peck, Gregory**   Gregorio Celemín

- **Price, Vincent**   Vicente Precio

- **Pretenders**   Disimuladores o Simuladores

- **Pluto (perro)**   Plutón

- **Popeye (marino)**   Ojosaltón

R

- **Ray, Nicholas**   Nicolás Rayo

- **Redford, Robert**   Roberto Vadorrojo

- **Redgrave, Vanessa** Vanesa Tumbarroja

- **Reed, Oliver** Oliverio Junquillo

- **Robinson, Edward G.** Eduardo G. de Petirrojo

- **Rogers, Ginger** Gengibre Rogelios

- **Rocky** Rocoso, Rocoso dos, Rocoso tres...

S

- **Sellers, Peter** Pedro Vendedores

- **Scott, George C.** Jorge C. Escocés

- **Supertramp** Supervago, Superpordiosero

- **Simon, Paul** Pablo Simón

- **Shields, Brooke** Arroyo (pron.) Escudos

- **Shepherd, Cybill** Sibila (pron.) Pastor

- **Stewart, James** Jaime Estuardo

- **Stones Rolling, The** Los Cantos Rodados

- **Swanson, Gloria**   Gloria del Cisne

- **Stack, Robert**   Roberto Pila

- **Stewart, Rod**   Caña Estuardo

- **Sting**   Picadura

- **Simple Minds**   Mentes Simples

- **Snoopy**   Fisgoncito, Curiosito

T

- **Taylor, Elizabeth**   Isabel (casi) Sastre

- **Turner, Kathleen**   Catalina Tornero

- **Turner, Tina**   Tina Tornero

- **Tom & Jerry**   Tomasito y Gerardito

U

- **U2**   «Tú también»

- **UB40**   «Tú tener 40»

V

- **Village People**   Gente de Pueblo

W

- **Who, The**   Los Quien

- **Wet, Wet, Wet**   Húmedo, Húmedo, Húmedo

- **West, Mae**   Mae Oeste

- **Winters, Shelly**   «Conchita» (trad. libre) Inviernos

- **Wonder, Stevie**   Estebitan Maravilla

- **Wood, Natalie**   Natalia Madera

- **Woodward, Joanne**   Juana Guardabosque

NO NOS GANAN DE CALLE

A partir de hoy, nunca será igual. Ya no se comprará más letreritos de calles londinenses, ni creerá más en la magia de las calles de NY. Un duro golpe...

B

- **Baker Street**   Calle del Panadero

- **Barrow Street**   Calle de la Carretilla

- **Battery Park**   Parque de la Batería

- **Beaver Street**   Calle del Castor

- **Bond Street**   Calle del Vínculo
                       Calle del Bono

- **Broadway**   Caminoancho

C

- **Canal Street**   Calle del Canal

- **Central Park** — Parque Central

- **Chambers Street** — Calle de las Cámaras

- **Chancery Lane** — Callejón del Tribunal

- **Cheapside** — Zonabarata

- **Church Street** — Calle de la Iglesia

- **Conduit Street** — Calle del Conducto

E

- **Enbankment** — Terraplén

F

- **Fleet Street** — Calle de la Flota

- **Flint Street** — Calle del Pedernal

- **Flushing Meadows** — Prados Ruborizantes

- **Front Street** — Calle del Frente

G

- **Grove Street** — Calle de la Arboleda

H

- **Haymarket Road**   Carretera del Mercado de Heno

K

- **Knightsbridge**   Puentecaballeros

M

- **Marble Arch**   Arco de Mármol

- **Moorgate**   Puerta del Moro

O

- **Orchard Street**   Calle del Huerto

- **Oxford Street**   Calle de Vado del buey

P

- **Park Avenue**   Avenida del Parque

- **Park Lane**   Callejón del Parque

- **Pall Mall**   Alameda del Palio

- **Pearl Street**   Calle de la Perla

- **Perry Street**   Calle de Sidra de Peras

Q

- **Queens**   Reinas

R

- **Regent's Park**   Parque del Regente

S

- **Shepherd Market**   Mercado del Pastor

- **Sloane Square**   Plaza del Señorito
(Sloane Ranger =
Señorito Londinense)

T

- **Threadneedle
  Street**   Calle de Enhebraguja

U

- **Upper Brook
  Street**   Calle de Arroyoarriba

V

- **Vigo Street**   Calle de Vigo (¡¡!!)

W

- **Wards Island**   Isla de los Guardias

- **Warren Street**   Calle de la Madriguera

- **Whitehall**   Vestibuloblanco

Pero todo tiene su compensación. ¿Sabía que la calle donde vive suena así de rimbombante en inglés? Pues lea, lea.

A

• **Arco de Cuchilleros** Cutler's Arch

• **Avenida de la Albufera** Lagoon's Avenue

• **Avenida de Entrevías** Intertracks' Avenue

C

• **Calle Alabarderos** Beefeaters Street

• **Calle Amador de los Ríos** Rivers' Lover Street

• **Calle Antonio Bienvenida** Anthony Wellcome Street

- **Calle del Arenal** — Sandy Ground Street

- **Calle Arroyomolinos** — Brookmills Street

- **Calle Barquillo** — Rolled Wafer Road

- **Calle Bravo Murillo** — Brave Littlewall Street

- **Calle Concha Espina** — Shell Thorn Street

- **Calle Cerro del Castañar** — Chestnut Grove Hill Street

- **Calle Cava Alta** — Wine-Cellar High Street

- **Calle Condesa de Venadito** — Countess of Little Deer Street

- **Calle D. Ramón de la Cruz** — Mr. Raymond of the Cross Street (antes Moncho Street)

- **Calle Huertas** — Vegetable Gardens Street

- **Calle Jardines** — Gardens Street

- **Calle Lavapiés** — Feetwasher Street

- **Calle de los Libreros** — Booksellers Street

- **Calle Mayor** — Main Street

- **Calle Mesonero Romanos** — Innkeeper Romans Street

- **Calle Modesto Lafuente** — Modest Thefountain Street

- **Calle del Rey** — King's Road

- **Calle de Serrano** — Highland's Street

- **Calle de Rivera de Curtidores** — Tanner's Riverside Street

- **Camino Vinateros** — Vintner's Road

- **Camino Viejo de Leganés** — Loch Ness Old Road (versión libre)

- **Campo del Moro** — Moor's Field

- **Carretera del Batán** — Fulling Mill Road

- **Colonia Caño Roto** — Broken Spout Colony

- **Colonia Ciudad Pegaso** — Pegasus City Colony

- **Colonia Experimental del Instituto Nacional de la Vivienda** — National Housing Institute Experimental Colony

- **Colonia del Viso** — Vantage Point Colony

- **Cuesta de San Vicente** — Saint Vincent Slope

D

- **Dehesa de la Villa** — Village Meadow

G

- **Glorieta de Embajadores** — Ambassadors Junction

- **Glorieta de Pacífico** — Pacific Junction

- **Glorieta de Cuatro Caminos** — Four Ways Junction

- **Glorieta de Puerta de Hierro** — Iron Gate Junction

- **Gran Vía** — Great Way

P

- **Parque del Oeste** — West Park

- **Parque de las Avenidas** — Park of the Avenues

- **Paseo de Rosales** — Rosebushes Avenue

- **Paseo de Yeserías** — Plasterings Avenue

- **Paseo de la Chopera** — Popler Grove Avenue

- **Paeo de las Delicias** — Delights Avenue

- **Plaza de María Guerrero** — Mary Warrior Square

- **Plaza de la Cebada** — Barley Square

- **Plaza de las Descalzas** — Barefeet's Square

- **Plaza de la Paja** — Masturbation Square (traducción muy libre).

- **Pozo del Huevo** — Egg's Well District

- **Pozo del Tío Raimundo** — Uncle Raymond's Well District

- **Puerta del Sol** — Sun's Gate

MULTINACIONALES Y
MARCAS DE «RENOMBRE»

«Es una casa muy seria» o «Un establecimiento muy formal» o «Una marca de toda la vida», todo esto se decía antes de empresas y marcas que, todavía hoy, siguen siendo las primeras del mundo. Pero, ¿se ha preguntado alguna vez cuál sería la traducción o adaptación de sus nombres al español?

Para estas marcas y empresas y para usted que a lo mejor trabaja en alguna de ellas, todo nuestro respeto y admiración, se lo merecen. Pero todavía se lo merecen más otras empresas y marcas españolas como *Bobo y Pequeño*, *Jabón Lagarto*, *Chocolates Matías López*, *Escamas Saquito*, *Lejía El Herrero*, *Almacenes Simeón*, *etc.*, que tuvieron que bregar lo suyo con sus propios nombres.

A

- **Abbot Laboratories**   Laboratorios Abad

- **Adams**   Adanes

- **After Eight**   Después de las Ocho

- **American Express Card**   Tarjeta Urgente Americana

- **Apple Computers**   Ordenadores Manzana

- **Arcade**   Arcada

- **Arthur Andersen**   Arturo de Andrés

B

- **Beefeater**   Comecarne

- **Bell Company**   Compañía Campana

- **Bell's Scotch Whisky**   Güisqui Escocés de Campana

- **Black & Decker**   Negro y Solador (libre)

- **Bloomingdale's**   Delvallefloreciente

- **Boots Pharmaceuticals**   Botas Farmacéuticos

- **Bud**   Capullo

- **Bull**   Toro

Apple Computers Ordenadores Manzana

- **Business Week**   Semana de
                       Negocios

C

- **Chemical Bank**   Banco Químico

- **Citibank**   Bancociudad

- **Crunch**   Crujido

D

- **De Beers**   De Cervezas

- **Dodge**   Regate

- **Doubleday**   Díadoble

E

- **Esquire**   Señor Don

F

- **Firestone**   Piedra de Fuego

- **Ford**   Vado

- **Fruit of the Loom** Fruto del Telar

G

- **General Biscuits** Galletas Generales

- **General Electric Co.** Compañía Eléctrica General

- **General Motors** Motores Generales

- **General Foods** Alimentos Generales

- **Good Year** Buen Año

H

- **Honeywell** Pozo de Miel

- **Industrial Business Machines (IBM)** Máquinas de Negocios Industriales (MNI)

J

- **John Smith** Juan Herrero

- **Johnnie Walker** Juanito Andarín

- **Johnson & Johnson** Hijo de Juan e hijo de Juan

- **Johnson's Wax** Cera del Hijo de Juan

L

- **Lever** — Palanca

- **Logic Control** — Control Lógico

- **Lucky Strike** — Golpe de Suerte

M

- **Marks & Spencer** — Huellas y Vela

- **Mars Bar** — Chocolatina Marte

- **Microsoft** — Microsuave

- **Miller Beer** — Cerveza Molinero

- **Milkibar** — Barralechosa

- **Mutual Cyclops** — Mutua Cíclope

N

- **New York Times** — Tiempos de Nueva York

O

- **Oracle** — Oráculo

P

- **Pall Mall** — Alameda del Palio

- **Paramount Pictures** — Películas Supremas

- **Passport Scotch** — Escocés Pasaporte

- **Penthouse Magazine** — Revista Ático

- **Philips** — Felipes

- **Pioneer** — Pionero

- **Price Waterhouse** — Precio Casagua

- **Prince Rackets** — Raquetas Príncipe

- **Procter & Gamble** — Procter y Jugada

R

- **Rover** — Vagabundo

S

- **Sacks (Fifth Avenue)** — «Sakos» (Quinta Avenida)

- **Seven Eleven** — Siete Once

- **Seven Up** — Siete Arriba

- **Shell**   Concha

- **Silk Cut**   Corte de Seda

T

- **The Famous Grouse**   Güisqui Escocés
  Scotch Whisky   El Urogallo Famoso

- **The Gap**   El Vacío

- **The Times**   Los Tiempos

- **Timberland**   Tierramadera

- **Trans World Airlines**   Líneas Aéreas Trans Mundo

U

- **United Airlines**   Líneas Aéreas Unidas

V

- **Virgin Records**   Discos Virgen

W

- **White Label**   Etiqueta Blanca

- **Williams**   Guillermos

- **Whirlpool**   Remolino ·

EXPRESIONES
Y TACOS *LIGHT*

La culpa la tuvieron en USA con eso de la moda *light* inventada hace años y que no hay manera de evitarla.

Siempre hay una versión *light* de cualquier cosa, bebible, comestible o fumable. Por tanto, ya que pasan también por la boca, le proponemos recuperar los tacos y expresiones *light**. Bajos en todo, tampoco tienen colorantes ni son muy insultantes.

Un gran invento desde hace tiempo en desuso.

¡Cómo no!, también hemos pensado en una versión *ultra-light* para que usted los diga en inglés y no se prive de nada. Como un príncipe (*Laik a prins*).

A

- ¡Ahí va!   **There it goes!** (deritgous!)

- ¡Anda!   **Walk!** (guok!)

---

* Algunas expresiones ya las hemos visto antes, pero ahora las repetimos de forma más sencilla para que no se le olviden.

- ¡Atiza! **Hit!** (jit!)

- Ajo y Agua **Garlic and water**
  (garlic and guata)

- Asunto, El **The matter**
  (da mata)

B

- Bemoles **Flats** (flats)

- Berzas **Cabbage** (cabeich)

- Berzotas **Big Cabbage**
  (big cabeich)

- Bobito **Gump** (gomp)

C

- Cabrito **Kiddy** (quidi)

- ¡Carambolas! **Cannons!** (canons!)

- ¡Carámbanos! **Icicles!** (aisicols!)

- ¡Caracoles! **Snails!** (sneils!)

- ¡Cáscaras! **Shells!** (shels!)

- ¡Canastos! **Baskets!** (baskets!)

- ¡Cáspita! **Little Dandruf!**
(lital dandrof!)
(versión muy libre)

- ¡Chispas! **Sparks!** (esparks!)

- ¡Corcho! **Cork!** (cork!)

- ¡Cuernos! **Horns!** (jorns!)

D

- ¡Demonios! **Devils!** (devels!)

- ¡Diantre! **Dickens!** (dequens!)

E

- ¡Estupendo! **Stupendous!** (stiupendos!)
Irreparablemente cursi

F

- Fantasma **Phantom** (fantom)

- ¡Fenomenal! **Phenomenal!**
(finomenal!)
Igual que *stupendous*

I

- Impepinable **Unpepperable** (anpeperabol) (versión libre)

- Infumable **Unsmokable** (onsmoukabol)

J

- ¡Joroba! **Hump!** (jomp!)

- ¡Jorobeta! **Little hump!** (lital jomp!)

L

- ¡Lechugas! **Lettuces!** (letiuses!)

M

- Maleta **Suitcase** (suitqueis)

- Marimacho **Marymale** (merimeil) (versión libre)

- Monstruo **Monster** (monster)

N

- ¡Narices! **Noses!** (nouses!)

- Nones   **Nones** (nouns)

- NPI   **N.P.I.** (En Pi Ai)

O

- ¡Ostras!   **Oysters!**
                 (oisters!)

- ¡Oh!   **Oh!** (ou!)

P

- Pendón   **Pennant** (penant)

- Petardo   **Firecracker**
                 (faircraca)

- Piernas   **Legs** (legs)

- Pito, El   **Whistle, The**
                 (güisel, da)

- ¡Porras!   **Clubs!** (clabs!)

- Primo   **Cousin** (cosen)

Q

- Quedón-ona   **Remainer** (rimeina)

R

- ¡Rayos! **Rays!** (reis!)

- ¡Relámpagos! **Lightnings!** (laitnins!)

- Rollo **Roll** (rol)

S

- Sonado **Sounded** (saunded)

T

- Tarado **Tared** (terd)

- Tararí **Tu-tut** (to-tot)

- Tararí que te vi **Tu-tut that I saw you** (to-tot dat ai sou yu)

- Total **Total** (toutal)

- Tronco **Trunk** (tronc)

- ¡Truenos! **Thunders!** (zonders!)

- Tururú **Too-roo-roo** (tururú)

V

- ¡Viva!   **Alive!** (alaiv!)

- Vaina   **Pod** (pod)

Z

- Zorri   **Foxy** (foxi)

SPEAKING IN SILVER
Hablando en plata

Dedicado a Maribel, la nena.
La *más valiente*, la mejor.

Zanquius

En primer lugar, a todos los que compraron *From Lost to the River*. Que se note que les queremos. Un detallazo el que tuvieron con nosotros. Y sin conocernos. O... quizás por eso.

Y, ya en plan particular, a todos los que nos han dado pistas, a los que nos han ayudado de una forma u otra. Son tantos que, si los mencionáramos, la editorial se negaría a publicar este libro. Por eso, con enorme habilidad, hemos incluido una práctica línea de puntos. Para agradecérselo a cada uno y cada una. In *person*.

Gracias   ....

Güarning

- Este glosario está lleno de errores, pero están puestos adrede.

- Los efectos que produce su lectura están garantizados.

- El problema es que no sabemos qué efectos.

- Si usted no habla bien español el problema puede ser doble. Quizás peor.

- Esto no es un medicamento, por tanto no debe consultar a su médico o farmacéutico. Eso sí, puede regalárselo.

- Las autoridades sanitarias no advierten nada en este caso.

- Si lo que busca es un buen libro, cómprese otro.

- Puede empezar por la página que quiera. Ahora bien, si se pierde no nos culpe.

- En cualquier caso no confíe en el orden alfabético, es un desastre.

- No se crea nada de lo que lea, incluidos los *güarnings*.

POR QUÉ COMETIMOS
ESTA SEGUNDA PARTE

La razón es básicamente humanitaria: necesitábamos ganar unas pelas para veranear.

Pero, además, innumerables mensajes de ánimo tales como: «no lo volváis a hacer», «erais mucho mejor gente que ahora», «mejor que os dedicarais a hacer pintadas», «olvídate de mi teléfono», «te mando este emilio para decirte adiós» y otros muchos, nos abocaron, inevitablemente, a intentarlo de nuevo.

Dirán ustedes: ¿pero qué tienen estos tíos contra el inglés? Y nosotros contestamos: pues, así personalmente, nada. De hecho, nosotros lo aprendimos de jovencitos. ¡Ah, qué tiempos aquellos, cuando nos movía ese profundo afán cultural de leer el *Play Boy*, esa ambición por conocer hasta el último detalle de las canciones de Cliff Richard, Sandy Shaw y The Tremeloes, esa urgente necesidad por entender lo que decían en *Deep Throat* y *The Last Tango*! Y lo que es la vida, al final conseguimos dominarlo. Todo a base de práctica, eso sí. Verán: la primera vez que fuimos juntos a Inglaterra, es decir, la primera vez que vimos una teta, éramos unos chavalines. Recién expulsados del nido, se podría decir. En ese momento se despertó en nosotros una enorme, desproporcionada ambición por ligar con las nativas. No por nada en particular. Una inquietud atávica quizá. Para ello no encontramos otra fórmula que empalmar palabras como iban saliendo. Así surgieron: *With you bread and onion* (Contigo pan y cebolla), o *This is from can to can* (Esto está de bote en bote), inventadas en una discoteca muy chula llamada Samantha's que había en la parte de Londres, un bonito sitio lleno de chavalas espectaculares que no nos hacían ni caso a pesar de dirigirnos a ellas con frases dulces y amables como: *I love you lamb* (Te quiero cordera) o *Do you dance little trunk?* (¿Bailas tronqui?) Fue un fracaso, aunque, todavía hoy, no entendemos la razón.

Bueno pues, poco a poco, a base de insistir y viajar mucho por esas tierras, conseguimos aprender nuestro inglés. ¿Tiene mérito, verdad? Ahora, recordando, hubo una vez que, tiesos y con más hambre que un currante a las once, nos fiamos del instinto y en un supermercado del elegante barrio de Clapham South (Londres) levantamos una lata de comida para perros. Nos dimos cuenta tarde, pero supo a gloria. Lo que cabrea es que aquí ponemos todo en cuatro idiomas y allí no. Eso sí, fue un día crucial porque se acuñaron frases de la dimensión de: *They paint the occasion bald* (La ocasión la pintan calva) antes de mangar la lata y *The same we go to the other quarter* (Igual nos vamos al otro barrio) después de zampárnosla. Emotivos recuerdos de adolescencia.

Ya de más mayorcitos hemos visitado con redoblado afán cultural diferentes lugares de la Gran... Y poco a poco, a base de incomprensión, hemos perfeccionado el idioma. Una vez, no hace tanto, cruzamos el Canal en *ferry*, uno muy chulo que hay ahora; parece el barco del amor, pero se mueve como el barco del dolor. Allí mientras Cólin vaciaba el bar de cerveza, enganchado a una jarra como si fuera un flotador, su preclara mente concibió frases como *Get it by the bank* (Pilla por la orilla), *This beer is the sea of good* (Esta cerveza está la mar de buena), *What a boat, sea fabric!* (¡Qué barco, tela marinera!). Güester, en medio de un monumental mareo, alcanzó a decir: *I shit on the sea* (Me cago en la mar) cosa que, en esos momentos, era lógica. Eso sí, cuando el barco atracó, ya mejorcito y lleno de regocijo exclamó: *One and no more Saint Thomas More.* (Una y no más Santo Tomás).

Tenemos más historias de muchas risas, pero ya vale.

Así pues, no se vayan ustedes a creer que esto del *From Lost...* se inventa en un día, hay que trabajarlo. Fueron años de dura práctica, de expulsiones de academias, de no comerse un saci, de machacarse. Tiene su mérito, oiga, lea.

El *From Lost...* ha hecho un gran bien a la gente. Se podrá opinar lo contrario, pero es por falta de datos. Para probarlo, nos emociona incluir aquí algunos hechos reales acaecidos recientemente. Vivencias de personas de la calle, gente normal, seres humanos auténticos que, gracias al lenguaje «fromlostiano», han salido de situaciones difíciles o han disfrutado más de la vida. ¿Hemos o no hemos alcanzado una meta? La emoción nos embarga. La responsabilidad nos oprime. Esto de la literatura social es lo que tiene.

WHERE IS THE ORDERMORE?

Mayo de 1997. *En algún lugar de la Roca.*

El jefe del contraespionaje gibraltareño, Alí ben Heredia Smith, se sentó consternado frente a su jefe, el premier de la Roca (no el señor Roca) y, entre gimoteos, alcanzó a balbucear con rancio acento llanito (*little flat accent*):

—¡Zeñó permié, he fracazao!

El alto dignatario, moreno y más bien bajito, alzando la vista sobre la montaña de productos *duty-free* que abarrotaban su mesa, susurró de mala gana...

—Qué paza ahora, Alí bé, que me tiene jarto.

—Pues ná, lo de siempre zeñó permié, que lo del SESÍ han pillao un nuevo código de clave y no entiendo una palabra de lo que escucho. ¡Y eso que mire uzté que hablan lo tío!

—A vé, Alí bé, póngame esa gabrasió...

—Zi zeñó, ezto é lo úrtimo que tengo de cuando er precidente epañó vicitó Doñana con su'poza.

—¿Con mi'poza?

—No, zeñó permié, con zu'poza de él.

Con un dedo tembloroso y su correspondiente

uñita negra, Alí ben Heredia Smith pulsó la tecla de su minigrabadora de contraespionaje avanzado modelo SPAI 2000 y la voz ligeramente alterada de dos conocidos miembros del CESID retumbó en la habitación.

Hombre 1: —*Where is the ordermore*? (¿Dónde está el mandamás (por presidente)?)

Hombre 2: —*He gave himself the can*. (Se dio el bote.)

Hombre 1: —*Walk now!* (¡Anda ya!)

Hombre 2: —*Like you hear it*. (Como lo oyes.)

Hombre 1: —*And his saint*? (¿Y su santa?)

Hombre 2: —*The relative opened herself too*. (La parienta se abrió también.)

Hombre 1: —*And in the meantime we are in the fig tree*. (Y mientras nosotros en la higuera.)

Hombre 2: —*It is true, our hair is going to fall*. (Es verdad, se nos va a caer el pelo.)

Hombre 1: —*We are going to pay the duck, uncle*. (Vamos a pagar el pato, tío.)

Hombre 2: —*Baskets!* (¡Canastos!)

De un manotazo el premier paró la grabación y gritó desesperado

—¡En qué demonio hablan ezto tío!

—Yo creo que en inglé, zeñó permié —gimió Alí ben.

—Que é inglé te lo digo yo zaborío, que para ezo é nuestra lengua matenna. Pero eze inglé está codificao con artízima tecnología.

—Ezo é lo que penzaba, zeñó permié.

—¡Tú qué va a penzá, qué va a penzá tú!...

Sin más, el premier, optó por descolgar el teléfono rojo clarito y llamar al MI5 británico. Necesitaba ayuda, estaba perdido, estaba hundido y, sobre todo, cabreao.

Así fue cómo, utilizando el genuino inglés de alta escuela cañí, el dialecto «fromlostiano», el CESID, sin saberlo, burló a Alí ben Heredia Smith.

¿Que dónde habían ido el presidente y señora? Pues a tomarse unas cañitas al Puerto de Santa María, que se había quedado muy buena tarde.

FROM **LOST** TO THE SPACE

Marzo de 1999.
Entre Cabo Cañaveral y Robledo de Chavela

Era de madrugada y casi seguro que miércoles, cuando Leroy Washington, controlador aéreo de la NASA con destino en Cabo Cañaveral, creyó oír una conversación entre extraterrestres. Por unos segundos, o a lo mejor fueron minutos, Leroy quedó ensimismado mirando los controles del panel electrónico de seguimiento. Ajustó los cascos contra sus oídos presionando con el dedo índice de cada mano y abrió mucho la boca, como para ensanchar sus vías auditivas (un viejo truco que no sirve para nada, pero queda muy profesional). Estaba solo y no tenía a quien recurrir para ratificar lo que estaba experimentando.

Hasta el momento, la misión *sopetecientos* de la nave Columbia había transcurrido sin incidentes. No era un viaje difícil: despegar, llegar hasta la estación Alfa, entregar unas cajas de chocolatinas a sus tripulantes y para casa. A Leroy todo esto le parecía un dispendio absurdo, pero en el fondo sabía que un astronauta con mono de chocolatina

187

puede hacer tonterías irreparables. En fin, para eso eran el imperio de moda y había que demostrarlo.

A lo que vamos, el caso es que el pobre Leroy no daba crédito. Según todos los cálculos la nave se encontraría ahora sobrevolando la estación de seguimiento espacial de Robledo de Chavela (Spain). Y, si los controles no fallaban (y no tenían que fallar porque eran de una casa muy seria), la conversación que escuchaba se mantenía entre la nave Columbia y un tal Manolo, de Robledo. De hecho, Leroy pudo reconocer el tono de voz de ambos interlocutores. Uno, sin duda, era Manolo, al cual había conocido en uno de sus viajes de trabajo. Aún recordaba Leroy las raciones de patatas bravas y de boquerones en vinagre que se habían atizado juntos por los bares del pueblo. El identificador de voz confirmó que el otro era el astronauta español Paul Count (Pablo Conde).

«*But what's going on here, conio!*», exclamó Leroy rememorando una de las pocas palabras aprendidas en España. «¡No puede ser!», se decía para sí mismo. «¡Ya está!», éstos son los mamones de los rusos que me están tomando el pelo otra vez. Pero, al segundo, la posibilidad de que fueran extraterrestres los que, imitando voces humanas, estuvieran estableciendo comunicaciones cifradas, cobró fuerza. Los rusos no podían ser. Acababa de recordar que habían puesto a la venta todo el equipo de transmisiones nocturnas para pagar los plazos

Soyuz. Estaban tiesos los tíos. «*Oh my god, the aliens are coming*!», gimoteó.

La solución al embrollo apareció clara en su mente: esos perros de extraterrestres se han escondido tras la cara oculta de la Luna y hacen rebotar sus transmisiones sobre la carcasa del Columbia para hacernos creer que no son ellos. «¡Soy un genio!», concluyó.

Antes de llamar a su supervisor, cerró los ojos, como para centrarse, reajustó los cascos, aumentó el volumen, abrió otra vez la boca y escuchó:

Nave: —*Malone, two with milk and one alone!* (¡Manolo, dos con leche y uno solo!)

Tierra: —*Don't take my hair, champion!* (¡No me tomes el pelo, campeón!)

Nave: —*What happened with the Atleti?* (¿Qué pasó con el Atleti?)

Tierra: —*We palm it in the Marinvilla.* (La palmamos en el Villamarín.)

Nave: —*Consequently garlic and water.* (Pues ajo y agua.)

Tierra: —*Now I tell you...* (Ya te digo...)

Nave: —*With another mister other cock would sing.* (Con otro entrenador otro gallo cantaría.)

Tierra: —*We go bottom first.* (Vamos de culo.)

Interferencias y ruido de motor (brrrrrrr).

Nave: —*Male, we are going full rag now!* (¡Macho, ahora vamos a todo trapo!)

Tierra: —*Throw the brake Madaleno!* (¡Echa el freno Madaleno!)

Más ruidos (fiuuuuufiuuuiii).

Nave: —*Good, little trunk, to more see.* (Bueno tronqui, hasta más ver.)

Tierra: —*Voucher.* (Vale.)

Leroy abrió los ojos, cerró la boca, se quitó los cascos y se fue a hacer pis. Días más tarde pidió la baja y se unió a la secta de Los Siervos del Más Allá. Ahora vive en San Bernardino (Ca.) en bastante estado de trance.

Manolo y Pablo Conde se durmieron esa noche mirando las mismas estrellas, pero a distinta distancia. Con esa sonrisa que se le queda a uno después de hablar con un buen amigo.

THE WORST · EL PEOR

Septiembre de 1996. *La City, Londres.*

Efrén Carchenilla Lagolargo, conocido hasta la fecha con el denigrante apodo de «El Peor», siempre fue un dilecto estudiante. Desde los dulces años del jardín de infancia ya era un niño serio, riguroso, trabajador, limpio y educado. Una delicia. Un púber que, conforme pasaban los años y los estudios se endurecían, jamás dijo en clase una palabra más alta que otra, jamás dejó de hacer sus deberes, nunca copió y, la verdad, tampoco sopló a nadie, el muy cabrito. Un chaval apto para los deportes, buen colaborador de Acción Social, miembro del coro. Un pilarista de pro.

Pero, ¡ay!, llegó el día en que, como todo hijo de vecino con aspiraciones, tuvo que enfrentarse al inglés. Por razones ignotas, quizás herencia familiar (su familia, por principios, nunca salió de Castilla), o por cuestiones religiosas (?) o por su enorme afición a la numismática o quizás, y ahí le duele, por su enorme timidez, el caso es que con el inglés topó y no hubo nada que hacer. Desde esos nefastos días, sus envidiosos compañeros, que no amigos, decidieron llamarle El Peor, The Worst para ser exactos.

Su padre, don Efrén Luis Carchenilla Carchenilla, no regateó esfuerzos y le mandó largos veranos a Irlanda. Su madre, doña Lala Lagolargo (*fan* de Massiel como su nombre y apellido indican), cuidó de que, cada tarde, una profesora nativa viniera a darle clases particulares. Algunas de estas señoritas eran francamente monas. Efrén recordaba siempre a aquella cheyene que le enseñó un par de trucos inenarrables, «Yegüa Indómita» se llamaba. O esa keniana de nombre «Tpongo Llá» que poseía ancestrales habilidades lingüísticas. Pero el inglés iba fatal.

Como la vida es cruel y las maldades pasan de boca en boca a la velocidad del AVE, el maldito apodo le acompañó a lo largo de su, por otra parte, brillante carrera profesional. Eso sí, nada de relaciones internacionales, contadísimos viajes al exterior, todo lo más a Andorra y Portugal, y él ¡hala!, a sus números, a sus finanzas, a sus balances. Pero el complejo crecía tan rápido como su empresa y la barrera del idioma proyectaba una terrible sombra sobre su futuro.

Por intentarlo no quedaba y Efrén visitó, con renovada ilusión, cuanto instituto o escuela de idiomas con métodos revolucionarios existía. El final era siempre el mismo; le acababan echando con un «don Efrén, estando usted en clase los alumnos olvidan lo poco que sabían al llegar. Es cierto, es usted el peor».

El día de la revancha llegó cuando su ya anciana madre, viéndole derrotado y melancólico, tumbado en un sofá, con el mando en una mano y en la otra un tinto de verano, le dijo: «El Peor, ¡huy, hijo, qué cabeza! Quería decir Efrencito, mira qué libro te he encontrado. Es tu salvación.» Y es que, como a uno le conoce su madre, no le conoce nadie.

Efrén levantó una ceja, que era un gesto muy suyo, extendió su pálida mano, trincó el libro y se lo bebió como si fuera un jarabe para la tos. Los ojillos se le iluminaron llenos de malas intenciones. Sus manos temblaron con la ansiosa anticipación de la venganza. Como un hombre nuevo, se levantó del sofá y exclamó: «*To take by the sack*!, se van a enterar *what a comb is worth*!»

Días más tarde y amparándose en su larga y abnegada carrera en la empresa, Efrén pidió a su superior que le admitiera en la reunión mundial de ejecutivos que se celebraría en la City londinense.

—Pero, Efrén, si tú ya sabemos que de inglés nada, te vas a aburrir —adujo su jefe.

—No creas, querido director, he estado trabajando duro y creo que hasta podré dirigiros algunas palabras en inglés y en público.

La noticia corrió de boca en boca. De país en país. De continente en continente: El Peor se iba a dirigir a sus compañeros en inglés. Nadie se lo podía perder. Era el *show* del año, el bombazo.

Ese día, con su traje azul marino, la corbata que le regaló mamá por su santo y un clavel en el ojal, Efrén Carchenilla Lagolargo subió al estrado del salón donde estaban reunidos. En pleno Londres, en la «chicha» de la City, en la cuna del Imperio, en el distrito del dinero, lo más *chic*, lo más de lo más. Se hizo un silencio conventual, monacal, callaron voces llenas de ironía, de pizca de mala leche, de ganas de reír. En Inglaterra, ese día, reinó un silencio repugnante, viciado, sádico. De verdad, da asco describir ese silencio. Pero a Efrén todo eso le importaba ya un bledo. Él iba a lo suyo y no había quien lo parara. Éste fue su discurso:

Dear trunks:

From Marychestnut's year I wanted to tell you some trues. Don't worry I am not going to roll myself. It costed me a kidney but now I am a monster in english. Now I long better than you. You are all a bunch of dippers and international phantoms that don't give nail. I spend the whole day plating for you. I do a job from a thousand pairs of balls while you sleep loose leg. I eat all the brownies including some big browns for you. Do you understand, buds?

I know I am arming the fat one, but I don't care one pepper. Here they give me all. Now I speak english by the face, so blot and new account. I am going to get a pedal like a grand piano and afterwards I am going to sleep the female monkey, and here peace and after glory. And, by the way, if you pike you eat garlic.*

---

* Nota para los que aún no han pillado de qué va

Queridos troncos:

Desde el año de Maricastaña he querido deciros algunas verdades.

194

Y, así, con la mejor de sus hasta hoy escasas sonrisas, se apeó del podio, se atizó un copazo y con un I *am going to give myself a volt* (Me voy a dar un voltio), se despidió de todo el mundo.

Efrén nunca más volvió a ser conocido como El Peor. Renunció a su aburrido trabajo, vendió unas tierras y ahora dedica largas horas a chotearse de sus ex compañeros mandándoles sofisticados mensajes en dialecto «fromlostiano». Con un par.

No os preocupéis, no me voy a enrollar. Me ha costado un riñón pero ahora soy un monstruo en inglés. Ahora largo mejor que vosotros. Sois todos un atajo de pringaos y fantasmas internacionales que no dais ni clavo. Paso la mayor parte del día chapando para vosotros. Hago un trabajo de mil pares de pelotas mientras dormís a pierna suelta. Me como todos los marrones, incluso algunos marronazos, por vosotros. ¿Entendéis capullos?

Sé que estoy armando la gorda, pero no me importa un pimiento. Aquí me las den todas. Ahora hablo inglés por la cara, por eso borrón y cuenta nueva. Voy a coger un pedal como un piano de cola y después voy a dormir la mona, y aquí paz y después gloria. Y, a propósito, el que se pica ajos come.

WEB. WEB. WEB

Julio de 1998. Ávila.

Wendoline Enríquez Benito, conocida en bastantes cervecerías como Web, es una gran enamorada de la informática. Teleco de vocación, domina como nadie La Red. Todo aprendido a pulso porque los manuales en inglés eran yuyu para ella y, como todo el mundo sabe, la traducción en español no la entiende ni el que la escribió.

En los ratos que le dejan libre sus obligaciones, (tiene una pescadería) viaja y vuela por el mundo a la velocidad del megahercio, que va que no veas.

Ha estado en todos sitios: desde la Siberia profunda hasta Socuéllamos. Lo ve todo, lo sabe todo.

No se crean que Wendoline es un nombre en clave, aquí no se esconde nada, lo que ocurre es que sus padres se enamoraron oyendo a July Churchs y no se les ocurrió mejor idea. Un atrevimiento. Pero ella lo lleva bien. Además, como viaja tanto, pues no se asombra de nada.

Ahora es completamente feliz porque envía *emilios* a todas partes y en lo más profundo de su juvenil corazón sabe que aunque no entiende lo que le dicen, a ella tampoco la pillan. Empate.

Todo empezó una fría tarde de noviembre, cuando tras echar el cierre de su pescadería (Mariscos y Pescados La Web. ¿Pillan?), se dirigió con pasos distraídos a visitar a su amiga Manoli que regenta una librería en el mismo barrio. Manoli es un genio de la lengua, lo dicen todos los chicos, y habla inglés con un perfecto acento de Peoria, porque sus padres emigraron allí en el 68.

El caso es que ese día, Web venía cansada y con pocas ganas de coñas. Nada más entrar en la papelería de su amiga, vio que Manoli jugueteaba nerviosa con un libro. «Mira, Webi —le dijo—, aquí tienes el manual que necesitas para *chatear* en abstracto.» A Web no le gustaba nada que la llamaran Webi, pero a Manoli se lo consentía porque le daba la gana, y porque le regalaba libros, que todo hay que decirlo. «A ver qué es esto», murmuró sin mucho interés, y comenzó a hojearlo. De hecho es lo único que dijo, porque a partir de ese momento no pudo levantar la vista de las páginas.

Caminó hasta su casa saltándose los semáforos, que hay que tener valor. Cada paso que daba, su cerebro se iluminaba con ideas maquiavélicas. Algunas le parecieron realmente impresentables. Al llegar, la cena estaba servida: sopa de fideos, pescadilla y pera; un planazo. Pero no podía perder tiempo, ya picaría algo más tarde, lo importante era volar en La Red.

Esa noche no cenó. Ni picó. Sólo *chateó*. Primero, sus manos recorrieron el teclado a una velocidad que hubiera sido la envidia de Alicia de Larrocha hasta configurar su propia, su genuina, su nunca mejor dicho, página Web. Y luego, la lanzó a la red. Decía así:

This is the Web page of Web.
I am a Spanish parakeet
and I am looking for little
colleagues that want to pass
it tit longing in fromlostian.
I thought that we could chat a lot
making the partridge
sick in this language.
Is there anybody with a pair?
Up until now I did not say this
mouth is mine, because the oven
was not for buns. But now that
I know the new way of speaking from p to pa
I decided to give myself a volt around the web.
Let's enjoy ourselves like midgets. *

---

*Esta es la página web de Web.

Soy una periquita española

y estoy buscando coleguitas

que quieran pasarlo teta

largando en fromlostiano.

He pensado que podemos charlar mucho

Llovieron las respuestas. Y, desde ese día, para muchos, Web significa Wendoline Enríquez Benito. Sus padres claro, orgullosísimos.

---

mareando la perdiz
en este idioma.
¿Hay ahí alguien con un par?
Hasta aquí no había dicho
esta boca es mía, porque
no estaba el horno para bollos.
Pero ahora que conozco la nueva
forma de hablar de pe a pa
he decidido darme un voltio por la red.
Divirtámonos como enanos.

DAISY DOORS OF THE FIELDS

Winchester (UK). *Junio de* 1999.

Margarita Puertas del Campo era una niña especial desde el punto de vista escolar. Mientras alcanzaba las más altas calificaciones en inglés, el resto de las asignaturas las aprobaba con un cinco pelao. Extraño caso, sí señor. Su fama hace mucho que trascendió las puertas del colegio. De hecho, los señores de *Informe Quincenal* pidieron permiso a sus padres para hacer un reportaje sobre su vida. Y fue ella la que se negó: «No hay tele en el mundo que franquee *the door of the* The Doors», dijo la puñetera niña, que era muy suya, dejando a su padre fastidiado; él, que quería fardar de haber salido en un programa de élite.

Como ven, a Margarita le gustaba referirse a su familia como *The Doors*, quizás por ese toque rockero que todos llevamos dentro. Aunque, un pelín esnob sí era la niña; por ejemplo, en lugar de «segundo de ESO», a ella le gustaba decir que cursaba *second of* THAT, con retranquita despectiva.

Un buen día su madre encontró en el buzón una carta que sorprendió a toda la familia. El sobre era espectacular, con un pedazo de emblema que decía: Winchester Royal Organization of Notable Girls- WRONG. «Mira, Jeremías —le dijo a su marido—, esta carta tan elegantosa debe ser para la niña porque va dirigida a Miss Daisy Doors of the Fields.» Jeremías, el pobre, no dijo nada porque desde lo de *Informe Quincenal* se había picao mucho con la niña. Y además, estaba viendo un partido. Margarita abrió el sobre y quedó encantada al ver la solemne invitación que contenía. Una carta, en papel a todo meter también, explicaba que en honor a los esfuerzos realizados por Margarita, la WRONG deseaba agasajarla invitándola a dar una conferencia en la sede de su organización: Winchestershire. «¡Qué horror!», exclamó su mamá. «¡Pues se nos va a poner en un pico!», remató don Jeremías, que era auditor y muy mirado para los dineros. «Qué va, *daddy dearest*, ellos corren con todos los gastos», le consoló la niña que, en cuanto podía, metía un gazapo en inglés.

Total, que, al cabo de los días, mientras madre e hija hacían la maleta, por azares del destino, algo ocurrió que cambiaría la vida de Margarita. Fue más o menos así:

—A ver, niña, ¿cuántas bragas llevas? —inquirió la madre.

—Pues tres, mamá, que sólo son dos días.

—Ni hablar, Marga, mete ocho que no sólo hay que ser limpia sino parecerlo.

—Pues no tengo tantas limpias.

—Sí que las tienes, están tendidas. Anda, ve a por ellas.

Margarita se alejó murmurando algo por lo bajini y su madre aprovechó para colocar en la bolsa de mano lo que creyó que era lo más avanzado en alta literatura inglesa. Un libro que ella misma había comprado en El Torpe Inglés, la mejor librería de idiomas.

Cuando despidieron a la niña, ambos cónyuges no imaginaban que el avión tendría un retraso de cuatro horas. ¿Por qué no lo supusieron, si es lo normal? Pues vaya usted a saber, tampoco es ahora el momento para darle más vueltas. Al cabo de dos horas, la niña, hartita ya la criatura de esperar, recordó la frase de su madre: «Te he puesto algo en la bolsa, una sorpresita, por si te cansas.» Ella pensó que sería un bocadillo de *chope* de Mickey, su favorito, pero no. Era un extraño libro. Sus bonitos ojos recorrieron la portada unas diecinueve veces más o menos: *From Lost to the River*. «Esto no tiene sentido en inglés —se dijo alarmada—. A ver si ahora va a resultar que no me lo sé todo.» El caso es que, mientras pilotos, controladores y personal de tierra competían para ver quién fastidiaba con más retrasos, Margarita tuvo tiempo de empaparse bien el libraco.

Sus tiernas neuronas sufrieron un colapso, su cerebro se esponjó como, por ejemplo, una esponja; sus sólidos principios gramaticales se fundieron y su extensísimo vocabulario se fue al garete cual barquito de vela en medio del huracán «Rosi». Pero después de semejante torbellino mental, renació un nuevo ser: más realista, más equilibrado, más cabal, más lógico, más juicioso, más cuerdo, más mejor.

Sin dudarlo un segundo rompió el discurso que tenía preparado y escribió otro, inmenso, incomparablemente más brillante que el anterior. Lean, lean:

Leidis and Yentelmen, gud deis bai de morning:

Mai neim is Deisi Dors of de Filds. Mai fada Yeremi güorks for a veri important compani neimd: PRECIO CASA-GUA. Mai moda, Deisi as güel, jas franky in anoda multinashional: FELIPES. I gou tu a veri nais escul col The Blac Leidis and ai estodi sencond of THAT.

Ai ounli get jai marks in inglish. In de rest of de sobyects ai dont guiv a sitck. Dats guai mai moda, probabli on bad melk, put mi in tu kiks in de escul neimd "Trai aguen" güer dispait peing de gould and de muur, mai mental pai is estil from a zousand pers of bols.

Mai fada puts mi tu fol from a donki güen ai get bad marks bat mai moda ses "dont guorri Yeremi is de terquis eich estop giving de biting tu de nena and zrou de breik Madalenou bicos yu ar in deinyer of javing ei patatus atac".

Ai am an op güiz de Viryin so ai oupen maiself to guiv a volt güiz mai little trunks. Normali we meik a big bottle in de garden. On Saterdeis de garden is from can tu can so ai guiv maiself de tenderloin güiz mai boifrend in De Ritairment parc.

Mai jobis ar: films of Jaime Bono and Cartuns of Los Perdernales. Ai olso laik veri moch miusic espeshiali Las Puertas, for ovius famili risons and "Tú también". Ai lov compiuters, main is a Manzana.

Yes, I jav tu admit in front of yu dierest odiens dat ai sei lait big güords like: Esneils! Shells! Baskets! Cork! etc. Aguein, noubari is perfect.

Afta lisening to dis yu mei zinc dat ai am jier bai de feis bat ai promis dat ai am not fish in inglish. In fact ai am a monsta: Ai espic fromlostian inglish.

Güell güi jav tu güet dis uan, lets jav a drink, ai bot a botel of faiter güain in de diuti fri.

Zenc yu and jier pis and afta glouri*.

---

*Señoras y señores, buenos días por la mañana:

Mi nombre es Margarita Puertas del Campo. Mi padre Jeremías trabajaba en una empresa muy importante llamada Price Waterhouse. Mi madre, Margarita como yo, curra en otra multinacional: Philips. Voy a un colegio muy bonito, Las Damas Negras, y estudio segundo de ESO.

Sólo saco buenas notas en inglés. En el resto de las materias no doy ni palo. Por esto mi madre, probablemente a mala leche, me apuntó en dos patadas en la escuela llamada «Try it again» y, pese a pagar el oro y el moro, mi empanada mental es todavía de mil pares de pelotas.

Mi padre me pone a caer de un burro cuando tengo malas notas pero mi madre dice: «No te apures Jeremías, es la edad del pavo, deja de dar la paliza a la nena y echa el freno Magdaleno que estás en peligro de que te dé un patatús.»

La ovación fue cerrada. Nadie jamás en la WRONG había escuchado un inglés de tal nivel. De hecho, con mucho recato, le pidieron el discurso para estudiarlo a fondo. Y el caso es que, paradojas de la vida, nunca sospecharon que el inglés del discursito era absolutamente eso, WRONG.

A la vuelta, Margarita decidió coger un taxi y, oiga, tardó menos.

Soy una viva la Virgen así que me abro y me voy a dar un voltio con mis tronquis. Normalmente hacemos botellón en el jardín. Los sábados el jardín está de bote en bote por eso me doy el filete con mi novio en el Parque del Retiro.

Mis aficiones son: las películas de James Bond y de los Picapiedra, también me gusta mucho la música, especialmente la de The Doors, por razones familiares obvias, y U-2. Me gustan los ordenadores, el mío es un Apple.

Sí, tengo que admitir ante ustedes queridos oyentes que digo tacos *light* como ¡caracoles!, ¡cáscaras!, ¡canastos!, ¡corcho!, etc., nadie es perfecto.

Después de oírme pensarán que estoy aquí por la cara, pero prometo que no estoy pez en inglés. De hecho soy un monstruo: hablo inglés fromlostiano.

Bueno esto hay que mojarlo, bebamos, he comprado una botella de vino peleón en la Duty Free.

Gracias y aquí paz y después gloria.

Bueno pues, vamos p'allá...

SPEAKING IN SILVER

A

• Abracadabra   **Openeachbra**
(oupenichbra). Tóojunto.
A buen entendedor, ya sabe.

• Abrazafarolas   **Lampposthugger**
(lampoustjoguer).
También tóojunto.

• A bulto   **To bundle**
(tu bandel).

• Aburrir a las ovejas   **To bore the sheep**
(tu bor de ship).
Coméntela con un pastor
de Escocia. Un *jailander*,
por ejemplo.

• A boli   **To small ball**
(tu smol bol).
Rellénese este impreso
a boli.

Fill out this form to small ball
El famoso puntopelota.

• A bombo y platillo **To drum and cymbal**
(tu drom and simbal).
Así se anuncian ciertas
noticias importantes; *and
usually the royal weddings.*
Very Windsor.

A cascarla a Parla	Ésta no nos sale
	Quien la haga que la ponga a boli............................

• A dedo **By finger**
(bai finga).
Porque se me pone.

• Agarrar una perra **To get a bitch**
(tu guet a bich).
Hija, te dejo, que el niño
ha agarrado una perra.
**Daughter, I leave you, the
kid just got a bitch**
(dota, ai liv yu, de kid
yost got a bich).
Surrealistic!

• A grito pelado **To skinned cry**
(tu eskind crai).

Cójase un grito, arránquensele todas las plumas y después la piel. Ya tiene un grito pelado.

• ¡Aire!

Air!
(er!).
Sustituye al conocido *good-bye*. Innove.
Don't imitate.
Ya se lo decía Hugo Jefe.

• A las tantas

To the so many
(tu de sou meni).
Vamos a acabar a las tantas.
We are going to end to the so many
(ui ar gouing tu end tu de sou meni).

• Ale-manita

German-girl
(yerman-guerl).
Here and in Germany.
En fin, mejor dejarlo.

• A mis anchas

To my wides
(tu mai guaids).
To my wides del Paraguais?
Wrong, you need more practice.

- Andarse con chiquitas **To walk with young girls**
  (tu güolk güiz yang guerls).
  Usted verá. Si le pillan
  luego no se queje.

Andarse con rodeos **To walk with rodeos**
(tu güolk güiz róudios).
Es decir, subido en toros y
caballos que van dando
saltos como locos.

- ¡Angelito! **Little angel!**
  (litel einyel!).
  Dígalo con voz dulce,
  enterneciéndose.

- Añicos **Little years**
  (litel yiars).
  Estaba hecho añicos.
  It was made little years.
  (it güas meid litel yiars).
  Venazo baturro tiene.

- A otra cosa mariposa **To other thing butterfly**
  (tu oder zing báterflai).

- A río revuelto **Scrambled river**
  ganancia de **fishermen win**
  pescadores (escrambeld riva
  fishermen güin).

Puede usarla si tiene la oportunidad de pescar salmones con **Prince Charles** (Prins Chols). Demuestre su nivelazo.

• A brazo partido

To broken arm
(tu brouken arm).

• A cuerpo de rey

To king's body
(tu kings body).
Tome nota; nunca se sabe cuándo te pueden invitar a Buckingham Palace.

• A otro perro con ese hueso

To other dog with that bone
(tu oder dog güiz dat boun).
Frase favorita de Lassie.

• A pata

By female duck
(bai fimeil dac).
Ésta puede utilizarla con soltura al cruzarse con un sajón en el, ahora de modísima, Camino de Santiago (St. James Road).

• A la pata la llana

To the leg the flat
(tu de leg da flat).

Muy útil, si compra un piso
en Chelsea.

• A cara de perro **To dog's face**
(tu dogs feis).
Así debería jugarse al fútbol
cada partido. Sobre todo
contra el Manchester. O el
Liverpool. O el que sea.

A dos velas	At two candles
	(at tu candels).
Es decir, boquerón
(*anchovy*).

• A flor de piel **To skin's flower**
(tu eskins flauer).
Te llevo a flor de piel.
I carry you to skin's flower
(ai carri yu...). ¡Puajjj!

• A huevo **To egg**
(tu eg).
Como se las ponían a
Fernando VII. ¡Pedazo de rey!

• Al buen tuntún **To the good toon-toon**
(tu de gud tuntún).
A tontas y a locas.
To the crazy and the fool

(tu de creisi an de ful).
Si le pillan éstas, se suicide.

• Al pan, pan y **To bread, bread**
  al vino, vino **and to wine, wine**
  (tu bred, bred
  an tu guain, guain).
  ¿Estamos? A*re we*?

• Adornar (a alguien) **To adorn (somebody)**
  (tu adorn [sombodi]).
  Ésta parece casi navideña,
  pero entraña mucho peligro.
  Su mujer le adornó.
  His wife adorned him
  (jis güaif adornd jim).

• Agarrao **Grasp**
  Como el Tío Gilito.
  No sea *grasp* y regale otro
  libro como éste.

• A la buena de Dios **To God's good**
  (tu God's gud).
  Así se deben tomar las
  cosas serias. D*eep thought*
  (que no D*eep throat*).

• ¡Ah, se siente! **Ah, it feels!**
  (a et fils!).

Manera fina de decirle a
cualquier angloparlante
que se j...

• Apaga y vámonos   **Switch off and let's go**
(suich of and lets gou).
Ésta se la pueden pillar.
Para evitarlo dígala siempre
en exteriores; en la playa o
en el desierto, por ejemplo.

• Arrieros somos   **Muleteer we are**
y en el camino   **and in the way we'll meet**
nos encontraremos   (miuletier güi ar
and in de güei güi'll mit).
Funciona muy bien para
mandar emilios
amenazadores.

Arrimarse más que «El Viti»	To approach more than «El Viti»
	(tu aprouch mor dan «El Viti»). Dígaselo a cualquier fantasma de los que se encontrará en los campos de golf de la parte de Scotland. No se prive. Tampoco se prive aquí, que también hay mucho fantasma.

• Armar un Tiberio **To arm a Tiberius**
(tu arm a Tiberios).
Los romanos lo hacían de
miedo. Y nosotros somos
sus naturales herederos.

• A las primeras **To the first of change**
de cambio (tu da ferst of cheinch).
Muy bancaria.

• A las mil y monas **At one thousand and
female monkeys**
(at uan zausend and
fimeil monkis).
Los fines de semana me voy
a la cama a las mil y monas.
**On week-ends I go
to bed at one thousand
and female monkeys**
(on güik ends ai gou tu bed...).
¡Error! ¡Craso
error! Resacazo fijo.

• A las mil y gallo **At one thousand and cock**
(at uan zausend and coc).
Nunca se llega a esta hora
sin que se cabree la parienta.
Y si la parienta llega a esas
horas, de nuevo, se suicide.
Para machistas.

- Al rojo vivo

To the red alive
(tu de red alaiv).
Está la cosa al rojo vivo.
The thing is to the red alive
(de zing is to de red alaiv).

- Andar con ojo

To walk with eye
(tu güok güiz ai).
Altamente desconcertante
para mentes tan
estructuradas.

- Ancha es Castilla

Wide is Castille
(güaid is Castil).
Siempre puede añadir,
The Old (La Vieja),
The New (La Nueva).

- Atar cabos

To tie ropes
(tu tai roups).
Sherlock Holmes iba así por
la vida. Y mírelo, ahí sigue.

- A manta

To blanket
(tu blanket).
Incluso puede llover así.
Diga en Londres: *It rains to
blanket*! Y déjeles pensando.

- A matacaballo

To kill horse

Andar con ojo **To walk with eye**

(tu kil jors).
Grand National total.

• A salto de mata
Jumping the bush
(yamping da bush).
No confundir con
Mr. George (Bush).

• A palo seco
To dry stick
(tu drai estic).
Así se bebe el buen güisqui.
Bonito palabro: güisqui ¿no?

• A perro flaco todo son pulgas
To thin dog all are fleas
(tu cin dog ol ar flis).

• Atacao (estar)
To be attacked
(tu bi atacd).
Así estaba usted con el inglés antes de descubrir este libro, ¡confiéselo!

• A secas
To dry
(tu drai).
Mi nombre es Nito, B. Nito.
Pero puede llamarme B., a secas.
My name is Nito, B. Nito.
But you may call me B., to dry
(mai neim is Nito, B. Nito.

Bat yu mei col mi B.,
tu drai).

- A vuela pluma **To flying pen**
(tu flain pen).
Dígaselo a Larry Collins
(¿Cólin?) o a Michener,
o a John La Cagué.

- Adelante con **Ahead with the lamps**
  los faroles (ajed güiz de lamps).
Tranquis, vamos bien:
ahead with the lamps!!

- Ahuecar el ala **To hollow the wing**
(tu jolou da güing).
Es decir, abrirse, largarse,
darse el bote. ¿No sabe
cómo se dice esto en inglés
«fromlostiano» profundo?
Imperdonable.
Compre el *From Lost to
the River*. Y le perdonamos.

- Aquí el más tonto **Here the silliest**
  hace relojes **makes clocks**
(jier da siliest meiks clocs).
Es una frase muy apropiada
para decirla en Suiza.
Estilazo ¿no?

- Avispado **Waspy**
(güaspi).
Tu eres un tío avispado.
You are a waspy uncle
(yu ar a güaspi oncl).

- A voleo **To volley**
(tu boli).

B

- Bailar el agua **To dance the water**
(tu dans de güata).
**I don't even dance the
water to my father**
(ai dont iven dans de
güata tu mai fada).
Y es que usted no le baila
el agua ni al padre de
usted, eso está claro.

- Bájate del almendro **Descend from
the almond tree**
(disén from de almond tri).
Dicho así, en inglés, parece
casi bíblico: El Descenso
del Almendro.
Pa' hacer una peli.

• Bajo cuerda   **Under rope**
(anda roup).
Es muy importante
conocerla si se van a hacer
negocios próximamente.

• Bellotero   **Acorner**
(acóna).
¡Pata negra! Palabra
futbolística donde las haya.

¡Buen rollito!	Good little roll!

(gud litel rol!).
Bien, esta afortunada frase
puede utilizarla si cabrea a
un yanki de 2 x 2 metros.
Puede que le saque del
apuro. Not *guaranteed*.

C

• Cabecita de ajo   **Little garlic head**
(litel garlic jed).

• Cabezota   **Big head**
(big jed).
Lo contrario de la anterior.
He aquí la simpleza.
He aquí el matiz.

- Caer en la cuenta **To fall in the account**
(tu fol in de acaunt).
Emplee esta frase con el
director financiero
Worldwide de su gigantesca
multinacional. Va a flipar.
Guaranteed.

- Caerse el pelo **To fall the hair**
(tu fol de jer).
Ésta, como usted
ya sabe, la usa mucho
el CESID.

- Caerse la baba por... **To fall the dribble for...**
(tu fol de dribel for).
A ése se le cae la baba
por... (distintos motivos,
Her, Him, Silly, etc.).
His *dribble falls for*...
Elija usted el final.
¡Nótese lo interactivo
del método!

- Caerse la cara **To fall the face**
(tu fol de feis).
¡Jó, se me cayó la cara
de vergüenza!
**Ho! My face fell
with shame!**

(jou, mai feis fel
güiz sheim!).

Cágate lorito	Shit yourself little parrot
	(shet yorself litel parrot). Sólo para momentos especiales.

- Caiga quien caiga **Fall who fall**
  (fol ju fol).
  Usted acabará aprendiendo
  inglés *fall who fall*.

- Cajón de sastre **Tailors drawer**
  (teilors drauer).
  Es como Pandora's box
  pero en versión castellana.
  Aquí cabe todo, incluso
  otra alternativa:
  Desaster drawer.

- Cambiar de chaqueta **To change the jacket**
  (tu cheinch de yaquet).
  ¡Hágalo!, si puede varias
  veces al día. ¡No lo dude!
  Ya no hay principios.

- Cambiar de rollo **To change the roll**
  (tu cheinch de rol).
  Cinematográfica perdía.

225

- Cara de acelga **Chard face**
  (chard feis). Deprimente.

- Cara de huevo **Egg face**
  (ef feis). Blanda. Grimosilla.

- Cara de palo **Stick face**
  (estic feis). Dura. Seca.

- Cara de vinagre **Vinegar face**
  (vnegar feis).
  Mediterránea tutiplén.

- Cara de póquer **Poker face**
  (pouka feis). Seria y tensa.

- Cargar el mochuelo **To load the little owl**
  (tu loud da litel oul).
  ¿Le cabrea? ¡Pues no se
  deje, chavalote!

- Casquete **Little helmet**
  (litel jelmet).
  For little heads?
  Usted sabrá...

- Cortar el rollo **To cut the roll**
  (tu cat de rol).
  Mire qué bonito:
  Cut the roll, Paul! Rima.

Cambiar el disco	Change the record

(cheinch de record).
Atento, versión siglo XXI:
Change the CD
(cheinch de sidí).
Ejemplo de hasta dónde
puede llegar la evolución
del lenguaje. Magistral.

• Cambiar de tercio   **To change the third part**
(tu cheinch de cerd part).
Dígalo con decisión
cuando esté harto.
Change the third part!
Añada: *milks*!

• Camello   **Cámel**
Sin comentarios, joroba.

• Canta   **It sings**
(it sengs).
Se puede añadir siempre la
parte del organismo que
«cante». *For example*: *your
feet sing, my friend*! Si es
demasiado «el cante» se
puede añadir *The Traviata*.

• Cantar el alerón   **To sing the flap**
(tu seng da flap).

Cantar las cuarenta   **To sing the forty**

Ya puestos, al amigo le
pueden cantar también los
alerones. ¡Éxito total!
¡Pedazo de amigo!
Muy suyo, él.

Cantar las cuarenta To sing the forty
(tu sing de forte).
Anímese a usar esta frase.
Propaguemos el Tute
(*Youyou*).

- Cargar las tintas   **To load the inks**
(tu loud da inks).
¡Qué bonito si alguien
le dice esto a los de
la Parker!

- Carta blanca   **White letter**
(güait leta).
Tienes carta blanca.
You have white letter
(yu jav guait leta).

- Carretera y manta   **Road and blanket**
(roud and blanket).
¿Puede haber algo más
descriptivo? ¿Puede haber
fórmula mejor para mandar
a paseo a un pelmazo?

- Casarse por el sindicato de las prisas

  To marry by the hurry syndicate
  (tu marri bai de jorri sindiqueit).
  Is like to marry of penalty.
  ¿Lo pilla? ¿no? Pues compre el *From Lost to the River.*

- Cebollazo

  Onion blow
  (onion blou).
  With or without onion.
  Como las hamburguesas.
  O sea, una frase *fast-food.*

- Coger al toro por los cuernos

  To get the bull by the horns
  (to get de bul bai de jorns).
  Una frase muy *forçada*. Je, je.
  Estupidez de comentario...

- Coger una pájara

  To get a bird
  (tu guet a berd).

- Coger un puntito

  To catch a little point
  (tu catch a litel point).
  Ahí es donde usted se lanza.

- Cogerse un globo

  To get a balloon
  (tu guet a balún).
  Mi jefe tiene un globo...

My boss has a balloon...
(mai bos jas a balún).

• Como cada hijo
de vecino

Like each neighbour's son
(laik ich neibors son).
¿Quién es el padre del hijo
del vecino? Porque, claro,
ésa es otra.

Con esto y un bizcocho hasta mañana a las ocho	With this and a cake until tomorrow at eight
	(güiz dis and a queik antil tumorrou at eit). Ahora, en serio. ¿Puede haber mayor finura, mejor fórmula para despedirse? Esto emociona a cualquiera.

• Colgao

Hung
(jong).
Ser un... o estar... Se puede
emplear también para decir:
me han dejado... Busque
bien. Rápidamente encon-
trará merecedores de este
apelativo ¿Dónde?: ¡En todas
partes, oiga, en todas partes!

• Como Dios manda

Like God sends
(laik God sends).

Antiguamente se mandaban así la mayoría de las cosas. Ahora las cosas las manda SEUR o UPS.

Como Dios pintó a Perico	Like God painted Pete
	(laik God peinted Pit). Es una aseveración muy artística. Parece que le quedó muy bien. ¿Conoce usted a Pete Thin? Piénselo.

- Como en botica **Like in the pharmacy**
  (laik in de farmasi).
  Ya, si la quiere poner muy británica, diga: *Like in Boots.*

- Como agua de mayo **Like may's water**
  (laik meis güata).
  Dígalo *in Britain* porque les cabrea. Allí también llueve en enero y en julio y, en fin... mejor sería decir «*Like May's sun*». No, no, no. No «*My son*». No la liemos.

- Como para parar un tren **Like to stop a train**
  (laik tu estop a trein).
  Tu hermana está como para

parar un tren.
Your sister is like to stop
a train. Dígaselo al señor
Z. Jones. Si lo encuentra.

- Como Pedro
  por su casa

  Like Peter at home
  (laik Pita at joum).
  Me muevo en Nueva York
  como Pedro por su casa.
  I move in New York like
  Peter at home
  (ai muv in Niú York laik
  Pita at joum).

- ¡Cómo pega
  el Lorenzo!

  How the Lawrence hits!
  (jau da Lorens jits!).
  Se puede freír un huevo en
  la calva de un turista. Dígalo
  en chiringuitos de Denia,
  Calpe, Jávea, Moraira...
  Donde haya guiris
  disfrazados de cangrejo.

- Como un pan

  Like one bread
  (laik uan bred).
  También aplica a la
  Z. Jones. Obsesioncillas...

- Como una casa,
  catedral, etc.

  Like a house,
  cathedral, etc.

(laik a jaus, cazídral...).
Esto es una verdad,
como una casa.
This is a true like a house
(dis is a tru laik a jaus).
Eso es una mentira como
una catedral.
That is a lie like a cathedral
(dis is a lai laik a cazídral).
¡Monumental!

• Como unas
castañuelas

As castanets
Estoy más contento que
unas castañuelas.
I am as happy as castanets
(ai am as japi as castanets).
Folclórica y optimista.

• Con cajas
destempladas

With untuned boxes
(güiz antiund baxes).
Sinfónica. Muy melódica.

Con dos pelotas y un palo	With two balls and a stick

(güiz tu bols and a stick).
Ésta es una expresión
perfecta para el cricket.

• Con la gorra

With the cap
(güiz de cap).

234

Yo aprendí inglés con la gorra.
I learned english with the cap
(ai lernd inglish güiz de cap).
¿Qué pasa, no pagó
las clases?

• Con segundas   **With seconds**
                        (güiz seconds).
                        Ésta va con segundas.
                        This goes with seconds
                        (dis gous güiz seconds).
                        Dígasela a un mayordomo
                        inglés y observe cómo
                        mira el reloj.

• ¡Cordera!   **Lamb!**
                        (lamb!).
                        Cierto, es un pelín
                        ordinaria. Pero, en fin,
                        si no se puede contener
                        pues adelante.

• Corriente y moliente **Current and milling**
                        (corrent and miling).
                        La esgrima, en la palabra.

• Cortar por lo sano   **To cut by the healthy**
                        (tu cot bai de jelzi).
                        A veces es necesario
                        hacerlo, como cuando

usted abandonó el inglés,
¡esquirolazo!

- Cortar el bacalao

To cut the cod
(tu cot de cod).
Mi mujer corta el bacalao.
My wife cuts the cod
(mai güaif cots de cod).

- Cortarse la coleta

To cut the poneytail
(tu cot de poniteil).
Imagínese, típica escena en
club de tenis superpijo:
— *Do you still play tennis?*
— *No, I've cut my
poneytail.* 0-15

- Coser y cantar

To sew and sing
(tu sou and sing).
Es muy fácil, coser y cantar.
**That's very easy, to sew
and sing**
(dats veri isi, to sou and sing).
Es cierto, para usted es
más fácil coser y cantar que
aprender inglés. Pues cosa,
cante y disfrute.

- Creer a pies juntillas

To believe feet together
(tu biliv fit tugueda).

No conviene creer así a
nadie más que a una buena
madre (la de uno mismo).

• Cría cuervos y...
tendrás muchos

**Breed ravens and...
you will have a lot**
(brid reivens and...
yu güil jav a lot).
Dígaselo a un Beefeater
en la Torre de Londres...

• Chupar cola

To suck tail
(tu soc teil).
Cuidado con esta expresión
o se le puede llenar la boca.

• Chupar rueda

To suck wheel
(tu soc güil).
Recomendamos usar el
grito de «Suck Wheel!»
cada vez que Crivi o Checa
le peguen una lijada a
Doohan. Motera donde
las haya. También muy
pedalera.

• Chuparse los dedos

To suck the fingers
(tu soc da fingars).
Tío, que no me chupo
los dedos.

**Uncle, I don't suck
my fingers**
(oncl, I don't soc
mai fingers).

• Chupar cámara   **To suck camera**
(tu soc cámera).
¿Es usted actor o actriz? Si
es así, le viene como anillo
al dedo. *Like ring to finger.*

Chupar del bote	To suck from the can
	(tu soc from de can). Nueva aportación: *Suck from the can, American!* Equivalente al cañí: ¡Chupa del frasco, Carrasco!

• Cuando el río suena... **When the river sounds...**
(güen da riva saunds...).
Ya sabe que de perdidos al
río. Una vez allí mire si
suena. Que suena fijo, *word.*

D

• Dar la barrila   **To give the barrel**
(tu guiv de barrel).

- Dar cancha

To give court
(to guiv cort).
Dame cancha.
Give me court
(giv mi cort).
Frase a medida de Wimbledon.

- Dar cuerda

To give rope
(tu guiv roup).
Dale más cuerda y luego tira.
**Give him more rope
and then pull**
(guiv jim mor roup
and den pul).

- Dar de sí

To give of yes
(tu guiv of yes).
No te pongas mis zapatos
que los das de sí.
**Don't wear my shoes that
you give them of yes**
(dont güear mai shús dat
yu güiv dem of yes).

- Dar el cambiazo

To give the superchange
(tu guiv de supacheinch).

- Dar el cante

To give the singing
(tu guiv de singing).
¡Qué cantazo!

What a singing!
(güat a singing!).

Dar el do de pecho	To give the C of chest
	(tu guiv de sí of chest). Muy documentada. Compruébelo.

- Dar estopa

To give burlap
(tu guiv berlap).

- Dar un viaje

To give a journey
(tu guiv a yorni).
Touroperator perdida.

- Dar un zapatazo

To give a big shoe
(tu guiv a big shú).

- Dar una larga cambiada

To give a long changed
(tu guiv a long cheinch).
Es una habilidad torera,
muy útil en la vida
cotidiana. ¡Pruebe, maestro!

- Dar el esquinazo

To give the big corner
(tu guiv da big corna).
Muy futbolera, también.

- Dar jabón

To give soap
(tu guiv soup).
Déles un baño.

- Dar la cara

To give the face
(tu guiv de feis).
Da la cara por mí.
Give the face for me
(guiv de feis for mí).

- Dar la campanada
  o el campanazo

**To give the bell,
or the big bell**
(tu guiv de bel,
or de big bel).
Nadie se lo esperaba, ha
dado el campanazo.
**Nobody expected it and
he gave the big bell**
(noubori expected et and
ji güeiv da big bel).

Dar la vara	To give the stick
	(tu guiv de estic).
	Es un pesado, se pasó toda
	la tarde dando la vara.
	He is a heavy, he spent
	the whole evening giving
	the stick.
	(ji es a jevi, ji espent
	de joul ivning güiving
	de estic).

- Dar la lata

To give the tin
(tu guiv da tin).

Tintin=Latalata.
Chorrada suprema.

- Dar la nota

To give the note
(tu guiv de nout).
Dígalo en clase, como
dejándolo caer. A ver si cae
alguien y le da la nota.

- Darle vueltas

To give it turns
(tu guiv et terns).
No le des más vueltas.
Don't give it more turns
(dont guiv et mor terns).

- Dar largas

To give longs
(tu guiv longs).

- Dar la vuelta
  a la tortilla

**To turn the omelette
upside down**
(tu tern de omelet
apsaid daun).
¡Qué bonito sería escucharla
en el Parlamento británico!:
«Señorías: ya verán ustedes
la de cosas que vamos a
hacer cuando le demos la
vuelta a la tortilla.»
«*Honourable gentlemen
you will see what we will*

do when we turn the
omelette upside down.»

Dar para el pelo	To give for the hair
	(tu guiv for de jer).
	Dígaselo a un calvo de
	Dakota, que igual trota.
	Poesía pura.

• Dar plantón · **To give the big plant**
(tu guiv de big plant).
Para botánicas, floristas,
jardineras, incluso biólogas.

• Dar un baño · **To give a bath**
(tu guiv a baz).
Puede quedar muy bien
después de una goleada de
su equipo al rival:
Les dimos un baño.
We gave them a bath
(güi gueiv dem a baz).

• Dar en la nariz · **To give in the nose**
(tu guiv in de nous).
Me da en la nariz que
alguno no se está
enterando de nada.
It gives me in the
nose that nobody is

understanding anything
(it guivs mi in de
nous dat noubori is
anderstanding enizing).
Eso es exactamente
lo que pretendemos.

- Dar una manita

To give a little hand
(tu guiv a litel jand).
Si es usted pintor, dígale a
su clienta americana: *What
lady, shall I give it a little
hand?* Y que lo pille por
donde quiera.

- Dar una secada

To give a dryer
(tu guiv a draier).
Especial peluquerías.

- Darse el bombo

To give the drum
(tu guiv de drom).
Suele darse mucho bombo
cuando hace algo.
**She gives herself a lot
of drum when she does
something.**
(shi guivs jerself a lot
of drom güen shi dos
somzing).
Para embarazadas.

- Darse con un canto **To give yourself with**
  en los dientes **a stone in the teeth**
  (tu guiv yourself güiz
  a estoun in da tiz).
  Violenta y denterosa.

- Darse la vida padre **To give the father life**
  (tu guiv da fada laif).

- Darse un trompazo **To give yourself a big trunk**
  (tu guiv yorself a big tronk).
  Especial *circus*.

- Darse una chufa **To give yourself**
  an earth almond
  (tu guiv yorself
  an erz almond).
  Muy primaria, ancestral.

- Dársela con queso **To give it with cheese**
  (tu guiv et güiz chis).
  Uvas con queso saben a beso.
  Grapes with cheese taste
  like a kiss ¡toma ya!
  (greips güiz chis teist
  laik a kis).

- Dátiles **Dates**
  (deits).
  No te metas los dátiles

en la boca.

**Don't put your dates
in your mouth**

(dont put yor deits
in yor mauz).

Obsérvese la coincidencia,
dates significa también fechas
y citas. Ahora imagínese el
cirio que puede liar con la
palabreja. D*iabolic*.

Demasiado para el cuerpo	Too much for the body
	(tu mach for de bodi). Ésta la puede usar en mil situaciones. M*ultipurpose*. M*ultifunctional*.

• De abrigo

Of coat
(of cout).
Es un verano de abrigo.

It is a summer of coat
(et es a soma of cout).
Si le pillan ésta es que acaba
usted de hablar con el primo
de Einstein. Uno que se fue
de joven a Cambridge.

• De bandera

Of flag
(of flag).

Es una chica de bandera.
She is a girl of flag.
Toquecillo patriota si se
quiere. Fino, ¿no?

• De balde

Of bucket
(of baket).
O lo que es lo mismo:
by the face.

• De bigote

Of moustache
(of mustash).
Hace un frío de bigote.
There is a cold of moustache
(der is a could of mustash).

• De buen grado

Of good degree
(of gud digrí).
Lo haré de buen grado.
I'll do it of good degree
(ail du it of gud digrí).
Elegantísima. Una frase así
no debería aparecer
en un libro como éste.

• De cabo a rabo

From cape to tail
(from queip tu teil).
Me lo sé de cabo a rabo.
I know it from cape to tail
(ai nou et from queip tu teil).

- Decir bolas **To tell balls**
(tu tel bols).
Impecable: *Tell me a ball*
(miénteme).

- De extranjis **Of «extrangis»**
(of extreinyis).
¡Vaya garabo!

- De libro **Of book**
(of buk).
Esto es de libro.
This is of book
(dis is of buc).
Rotunda.
Aplastante.
Serenísima.

- De lo lindo **Of the pretty**
(of the priti).
Sencilla de recordar.
Le hará quedar como
usted se merece.

- De medio pelo **Of half hair**
(of half jer).

- De campanillas **Of small bells**
(of smol bells).
Very Peter Bread.

- De mil amores **Of a thousand loves**
(of a zausand lovs).
Sí, cariño, lo hago
de mil amores.
Yes honey, I *make it*
of a thousand loves.
Si ya es cursi en español,
en «fromlostiano» roza
lo vomitivo.

- De punta en blanco **Of tip in white**
(of tip in güait).
Una frase «de moda».
Regardez la gilipolluá.

- De tiros largos **Of long shots**
(of long shots).
Si le invitan a ir a un «*party*
of long shots», no lo dude:
debe vestir de «*label*».
¡Entérese bien, por favor!

- Del coro al caño, **From the choir to the**
  del caño al coro... **spout, from the spout**
  to the choir...
  (from de coir tu de
  espaut, from de espaut
  tu de coir).
  Es un *perpetuum movile*,
  a la española.

• Desmadre
Desmother
(dismóder).
Desmadre colectivo.
Collective desmother
(colectiv dismoder).
Ahora ya más relajados,
¿no le parece esto
un tiro de palabra?

• Dejar planchado
To leave ironed
(tu liv airond).
Si le dejan así, coja el tomo
I del *From Lost* y déle un
repasito. ¡Jamás muestre
signos de desánimo!

Dejar plantado	To leave planted
	(tu liv planted).
	Mi novia de Massachusetts
	me dejó plantado.
	My girlfriend from
	Massachusetts left me
	planted
	(mai guerlfrend from
	Masachusets left mi
	planted).

• Descubrir el pastel
To find the cake
(tu faind de queik).
Para *tea parties*.

Divertirse como un enano   **To enjoy it like a midget**

- Dejar vendido

To leave sold
(tu liv sold).
Dejaron vendido al portero.
**They left the
goalkeeper sold**
(dei left de goulkipa sould).
Nada que ver con traspasos.

- Devolver la pelota

To return the ball
(tu ritorn de bol).
Esta frase no es sólo para
Wimbledon; sirve para
cualquier otra situación.
Practíquela. Disfrute,
déle bola.

- Divertirse
  como un enano

To enjoy it like a midget
(tu enjoi et laik a midyet).

- Donde dije digo,
  digo Diego

**Where I said say,
I say Simon**
(güer ai sed sei,
ai sei Saimon).
De nuevo las innumerables
posibilidades del lenguaje
fromlostiano nos dejan
asombrados. Dígala,
dígala mucho, como
si fuera esta noche
la próxima vez.

- Donde las dan, las toman

  Where they give´em they take´em
  (güerdeigüivemdeiteikem).
  Así tóojuntito, bien traído.

E

¡Echa el freno Madaleno! (nueva versión)	Throw the brake Mandrake (or simply Drake)
	(zrou de breik Mandreik). Esto se lo podían haber dicho a Sir Francis Drake; indague y verá. Inmensa. Histórica. Una frase pirata.

- Echar un ojo

  To throw one eye
  (tu zrou uan ai).
  Cariño, ¿puedes echarle
  un ojo a la sopa?
  *Darling, can you throw one
  eye to the soup?* Si usted
  forma pareja con uno de
  «ellos» o una de «ellas»,
  tenga cuidado, esta frase
  puede ser motivo de divorcio.
  Básicamente por repugnancia.

- Echar el guante **To throw the glove**
  (tu zrou de glouv).
  Una frase de torneo.

- Echar el resto **To throw the rest**
  (tu zrou de rest).
  Tenística.

- Echar en cara **To throw in face**
  (tu zrou in feis).

- Echar leña al fuego **To throw wood to the fire**
  (tu zrou vud tu de faier).
  Invernal. Acogedora.
  Pero encierra mala uva.

- Echar los pies por alto **To throw the feet by high**
  (tu zrou de fit by jai).
  A lo Fostbury.
  Una frase de altura.

- Echar por tierra **To throw by land**
  (tu zrou bai land).
  *This book throws by land all
  your english*; ¡reconózcalo!

- Echar sapos y culebras **To throw toads and snakes**
  (tu zrou touds and esneics).
  Es muy apropiada en zoos,
  safari parks y reservas

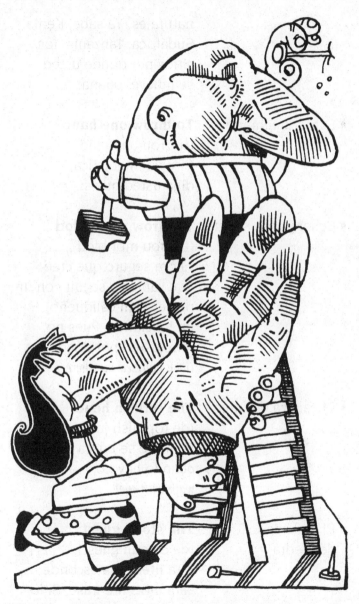

Echar una mano   **To throw one hand**

naturales. Ya sabe, Kenia,
Sudáfrica, Tanzania, los
sitios por donde usted
se mueve, buana.

• Echar una mano **To throw one hand**
(tu zrou uan jand).
Cirugía lingüística,
diga usted que sí.

• Echarle más sangre **To throw more blod**
(tu zrou mor blod).
Ahora seguro que cree
que vamos a seguir con un
polvete, un caliqueño,
un feliciano... Pues no,
mire usted por dónde,
(*look yourself by where*).

• El cabeza de turco **The turkish head**
(de torquish jed).
Siempre se busca uno
cuando hay lío;
walk with eye!

• El convidado **The stone guest**
de piedra (de estoun guest).
Alta literatura esconde
esta inocente frase. Si lo
que busca es leer un libro,

abandone éste
inmediatamente.

• El garbanzo negro **The black chick-pea**
de la familia **of the family**
(de blac chicpí of de fámili).
Pedrito es el garbanzo
negro de la familia.
Pete is the black chick-pea
of the family.

• El santo y seña **The saint and sign**
(de seint and saing).
Ahora se dice *password*.
Y es que no las pensamos.

El último grito	The last scream
	(de last escrim). De Tarzán, cuando le mangaron la mona. Y es que se quedó muy solo.

• El último mono **The last monkey**
(de last monqui).
Si está usted triste y
deprimido, viaje a Gibraltar,
sitúese en pleno centro y
diga con firmeza: «Yo soy
el último mono.» Los
resultados no se harán

esperar: le van a cuidar de
maravilla, como a nadie.
Infórmese en la oficina
de turismo británica.

- ¿El «cuálo»?

    The which?
    (de güich?).
    ¡Qué finura! ¡qué nivel!

- El tendido
  de los sastres

    The stretch of the tailors
    (de estrech of de tailors).
    Hay mucha historia
    detrás de esta frase.
    A ver si la descubre.

- En metálico

    In metallic
    (in metalic).
    ¿Por qué decir *cash*?
    In *metallic, please*!

En pelota, en pe-lotas o en bolas	**In ball, in balls**
(in bol, in bols). Si usted conoce algún ejecutivo naturista, angloparlante por supuesto, en cualquier cena de trabajo deje caer, por ejemplo: «*usually, I rather swim in balls*».	

- Enseñar las uñas

  To show the nails
  (tu shou de neils).
  Pero que estén limpitas ¿eh?

- En un dos por tres

  In a two by three
  (in ei tú bai zri).
  Sencilla. *Naif*. De toda
  la vida. Casi colegial.

- En un periquete

  In a little Pete
  (in a litel Pit).
  Demuestre su disposición.

- En un soplo

  In a blow
  (in a blou).
  Happy birthday!

- En toda tierra
  de garbanzos

  In every land of chick-peas
  (in evri land of chicpís).
  No entienden mucho de garbanzos, aunque sí de «cocidos».

- En un santiamén

  In a saintamen
  (in ei seinteimen).
  Lo quiero en un santiamén.
  I *want it in a saintamen*!
  Una frase protestante.

- Engañar como
  a un chino

  To cheat like a chinese
  (to chit laik a chainis).

- Enrollarse como
  una persiana

  **To roll like
  a venetian blind**
  (tu rol laik a venisian blaind).
  Para nosotros persa, para
  ellos veneciana.
  El caso es fastidiar.

Entre pecho y espalda	Between chest and back
	(bituin chest and bac). Es capaz de meterse un cordero entre pecho y espalda; ¡angelito! **He can put a lamb between chest and back; little angel!** (ji can put ei lamb bituin chest and bac; litel einyel!).

- Éramos pocos y
  parió la abuela

  **We were just a few and
  grandma had a baby**
  (güi guere yost a fiú and
  grandma jad a beibi).
  Antológica. Una frase de autor.

- Entre pitos y
  flautas

  Among whistles and flutes
  (among güisels and fluts).
  Un inglés nunca se gastaría
  tanto como nosotros entre
  pitos y flautas; como lo oye.

- Eres un monstruo **You are a monster**
(yu ar a monster).
Ya sabe la contestación.

- «Er» paquete **The packet** (si es normal).
The parcel (si es terciadito).
The package
(si es fenomenal).

- Es una eme **It is an «m»**
(et es an em).
It is an «s»
(et es an es).
Fina. Concisa. En cualquier
caso, una ñórdiga.

- Ése pinta mucho **That paints a lot**
(dat peints a lot).
Creerán que se refiere a
Turner, por ejemplo.
Vaya al descoloque.

- Escurrir el bulto **To wring the bundle**
(tu vruing da bondel).
Nunca sabrán cómo hacerlo.

- Está chupado **It is sucked (or licked)**
(it is socd [or licd]).
Cuidado. De nuevo esta
frase tiene peligro. Mírese

mucho (*look yourself a lot*)
antes de decirla.

- Está cantado

  It is sung
  (it is song).
  Estaba cantado
  que íbamos a ganar.
  **It was sung that will
  would win**
  (it güas song dat güi
  vud güin).

- Está de mírame
  y no me toques

  **This is of look at me
  and don't touch me**
  (dis is of luk at mi
  and dont toch mi).

Estar a la cuarta pregunta	To be to the fourth question
	(tu bi tu de forz cuestion). Ésta es muy buena para examinarse.

- Estar a la luna
  de Valencia

  To be at Valencia's moon
  (tu bi at Valencias mun).
  Muy turística.
  Veraniega. Playera.
  El sueño de una
  noche de verano,
  que diría William.

- Estar canino

To be canine
(tu bi canain).
Are you hungry?
Yes, I am canine.
Pocas palabras
tan descriptivas.

- Estar teniente

To be lieutenant
(tu bi liutenant).
Por si no entiende a un marine.

- Estar de morros

To be of snouts
(tu bi of esnauts).
Lleva dos días de morros.
**He has been two days
of snouts**
(ji jas bin tu deis
of esnauts).

- Estar ducho

To be shower
(tu bi shauer).
Estar ducho en historia.
He is very shower in history
(ji is veri shauer in jistory).

- Estar en canicas

To be in marbles
(tu bi in marbels).
Nado en canicas.
I swim in marbles
(ai suim in marbels).

- Estar en capilla

  To be in chapel
  (tu bi in chapel).
  Are you married?
  No, I'm in chapel.
  Desconcertante.

- Estar en la higuera

  To be in the fig tree
  (tu bi in de fig tri).

- Estar fuera de cacho

  To be out of chunk
  (tu bi aut of chonk).
  Muy torera. De raza.
  De casta. Trapío puro
  esconde esta frase.

Estar manga por hombro	To be sleeve by shoulder
	(tu bi esliv bai shaulda). Esta casa está manga por hombro. **This house is sleeve by shoulder** (dis jaus is esliv bai shaulda). Quéjese de vez en cuando, señora.

- Estar más chupado que la pipa de un indio

  To be more sucked than the pipe of an indian
  (tu bi mor sacd dan de paip of an indian).

264

Una frase perfecta para
estudiantes americanos.
Nunca pasará a la reserva.

- Estar «pringao»

To be sticky
(tu bi estiqui).
Debe emplearse sólo para
asuntos poco conflictivos,
usted entiende ¿no?

- Estar «descapotao»

To be convertible
(tu bi convertibel).
Nada que ver con
los coches.

- Estar como una moto

**To be like a motorbike
(or bike)**
(tu bi laik a motorbaik
[or baik]).
Puede estarse así por
distintos motivos;
le deseamos suerte.

- Estar mal
de la azotea

To be bad of the flat roof
(tu bi bad of de flat ruf).
Con alguien que esté así
walk with eye, darling.

- Estar en bragas

To be in pants
(tu bi in pants).

Mi inglés está en bragas.
My english is in pants
(mai inglish is in pants).

• Estar en el ajo

To be in the garlic
(tu bi in de garlic).
¿Conoce el *garlic belt*?
Lo componen: Portugal,
España, Italia y Grecia.
Sobraos de cultura vamos.

• Estar en su
propia salsa

To be in your own sauce
(tu bi in yor oun sos).
Como pez en el agua,
pero en plan papeo.

• Estar en todas
las salsas

To be in all the sauces
(tu bi in ol de soses).
Curry perdido.

• Estar mosca

To be fly
(tu bi flai).
Mi marido está mosca.
My husband is fly
(mai josband is flai).

• Estar frito

To be fried
(tu bi fraid).
Dígaselo a un turista
playero.

- Estar hecho
  unos zorros

To be made foxes
(tu bi meid foxes).
Dígala después de una apasio-
nante cacería a caballo por
los prados de Devonshire.

Estar sin blanca	To be without white
	(tu bi güizaut güait). No apropiada en: Harlem, Johanesburgo, Detroit, Nairobi, etc...

- Este cura...

This priest...
(dis prist…).
Este cura se abre.
This priest opens himself
(dis prist oupens jimself).

- Esto hace agua

This makes water
(dis meiks guata).
Dígalo señalando una nube.

- Esto pita bien

This whistles well
(dis güisels güel).
Mi negocio pita bien.
My business whistles well
(mai bisnes güisels güel).

- Estrujarse el melón

To crush your melon
(tu crosh yor mélon).

¡Hombre!, ésta va muy
bien para decírsela
en Villaconejos
(Rabbitsvillage).

- El felpudo   **The Wellcome.**

F

- Fotomatón   **Photobully**
(fotobuli).
Pintoresca. Un flash.

- Fumarse la clase   **To smoke the class**
(tu esmouk de clas).
Utilícela en algún cursillo
de verano en Irlanda.

- Ful de Estambul   **Fool from Istambul**
(ful from Istambul).
The fool on the hill?

G

- ¡Gallina!   **Hen!**
(jen!).
A algún cobardica se le
puede decir: «¡*Coward, hen,*

captain of the sardines.»
Cuéntenos el efecto. ¡Por
favor hágalo!

• Gatillazo **Trigger failure**
(triga feiliur).
¡Solo ante el peligro!
Hágaselo mirar.

• Gente bien **People well**
(pipol güell).
Expresión pija *de luxe*.

Guay	Why
	(guay).
	Why *from* Paraguay.
	¿Se puede ser más simple?
	¿Más sutil?

H

• Hace un porrón **It makes a big joint**
(it meiks a big yoint).
Big joint = Porro grande.
Saben poco de porrones.

• Hacer el primo **To make the cousin**
(tu meik de cósin).

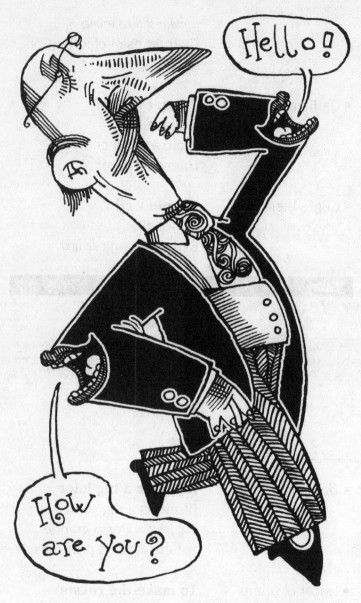

Hablar por los codos   **To speak by the elbows**

Va bien en un entorno familiar tenso.

- Hablar por los codos **To speak by the elbows** (tu espic bai de elbous). Cuéntele a un inglés que su mujer habla por los codos, que a su cuñado le cantan los pies y a su cuñada los alerones. Sin duda le le preguntará que en qué circo trabajan.

- Hacer buenas migas **To make good crumbs** (tu meik gud crombs).

Hacer el agosto	To make the august
	(tu meik de ogost). Lo que le pasa al que monta un chiringuito en verano, o se queda de Rodríguez (de Mr. Smith o Mrs. Smith).

- Hacer el avión **To make the plane** (tu meik de plein). «Paquito me hace el avión.» «*Franky makes me the plane.*» No es un numerito; es una faena. Ésta la

volvemos a poner como
homenaje y profundo
agradecimiento al Sepla.

• Hacer el indio **To make the indian**
(tu meik de indian).
Realmente debería ser: *you*
make indian = tú hacer indio.

• Hacer el oso **To make the bear**
(tu meik de bear).
Like Teddy. Teddy don't
make the bear!

• Hacer el vacío **To make the vacuum**
(tu meik de vaquium).
Le hicieron el vacío
en el laboratorio.
They made him
the vacuum in the lab.
(dei meid jim
de vaquium in de lab).
Superior. Para científicos
y Nobeles.

• Hacer la cama **To make the bed**
(tu meik de bed).

• Hacer la vista gorda **To make the fat view**
(tu meik de fat viú).

Retorcida a tope.
No se la pillan en
un millón de años.
Luego, puede que sí.

• Hacer novillos

To make young bulls
(tu meik yong buls).
¿No somos un país taurino?
Pues eso, a practicar.

• Hacer pinitos

To make little pine trees
(tu meik litel pain tris).
Mi marido hace pinitos
en la cocina.
**My husband makes little
pine trees in the kitchen**
(mai josband meiks litel
pain tris in de quíchen).
Aprenda.

• Hacer pirulas,
  o, la pirula

**To make lollypops,
or, the lollypop**
(tu meik lolipops
or de lolipop).
Por favor, no me hagas
pirulas mañana.
**Please, don't make me
lollypops tomorrow**
(plis dont meik mi
lolipops tumorrou).

- Hacer sombra

  To make shadow
  (tu meik shadou).
  Dígala en la playa.
  En la playa de Palma
  (Palm Beach).

- Hacer tilín

  To make ding-dong
  (tu meik ding-dong).
  «*You make me ding-dong.*»
  Es una buena forma de
  comenzar una amistad.
  Damos ideas.

- Hacer el pino-puente

  To make the pine-bridge
  (tu meik de pain-bridge).
  No se cruja.

- Hacerse cruces

  To make crosses
  (tu meik croses).
  Se está haciendo cruces
  He's making
  himself crosses
  (ji is meiking jimself croses).
  Lo que harían en Oxford
  si leyeran este libro.

Hacerse el longuis **To make the long-geese**
(tu meik de long-guis).
Para expertos.
Nivel 24 de dificultad.

- Hacerse un botellón **To make a superbottle**
  (tu meik a superbotel).
  Y pillar un colocón.

- Hasta el 40 de mayo **Till the 40th of may**
  no te quites el sallo **don't put the coat away**
  (til de fortiez of mei
  dont put de cout auei).
  En Britain ésta se aplica
  hasta el 40 de julio.

- ¡Hasta aquí **Until here**
  podríamos llegar! **we could arrive!**
  (antil jiar güi cud arraiv!).
  Puede ser muy impactante
  decírsela en voz alta a la
  futura suegra, *british of
  course*, en plenas rebajas
  de Oxford Street;
  vaya marcando el terreno.

- Hasta la bandera **Till the flag**
  (till de flag).
  «Wembley estaba
  hasta la bandera.»
  «*Wembley was till the flag,
  (the Union Jack, of course).*»

- Hasta la bola **Till the ball**
  (till de bol).

Esto sí que es una
estocada, o lo que sea...

Hombre de paja	Masturbation man
	(mastorbeishon man). Como si no hubiera leído nada.

I

- Ir al excusado **To go to the excuse me** (tu gou tu de esquíus mi). Representante máximo de la finura y buena educación que inundan estas páginas.

- Ir al grano **To go to the grain** (tu gou to de grein). Ni de acnés ni de paella; pero ellos no lo saben.

Ir de cañas	To go of canes
	(tu gou of queins).

- Ir de chiquitos **To go of little ones** (tu gou of litel uans).

- Ir de copas **To go of cups**
(tu gou of caps).

- Ir de carabina **To play rifle**
(tu plei raifol).

- Ir de chatos **To go of snubs**
(tu gou of esnobs).
¡Ojo! No la líe con snob.

- Ir de paquete **To go of parcel**
(tu gou of parsel).
Motera y rockera donde las
haya. También mensajera.

- Ir de tapas **To go of covers**
(tu gou of couvers).
¿Cenamos o vamos
de tapas?
**Shall we have dinner
or covers?**
(shal güi jave dina
or couvers).

- Irse de vareta **To go of barette**
(tu gou of baret).
Adaptación con mucha jeta.

- Irse de rositas **To leave of little roses**
(tu liv of litel rouses).

Es difícil irse así
si le liga a uno
el paliza de turno
para contarle el veraneo,
por ejemplo. O insiste
en ponerle el vídeo
de la boda.

J

- Juanete

Johnnie
(yoni).
No me pises los juanetes
Don't step on my Johnnies
(dont estep on mai Yonis).

L

- ¡Largo de aquí!

Long of here!
(long of jier!).
Dígasela a los pelmazos
de los *hooligans*.

- La aguja de marear

The needle to make sick
(de nidel tu meik sick).
Dígala en un yate pijo.

• La carabina **Ambrosio's gunshot**
  de Ambrosio (Ambrousios gonshot).
  Enternecedora. Eso sí, como
  siempre, pronuncie bien
  Ambrosio (Ambrousiou).

Ladillas	**Little sides**

(litel saids).
Existe otra más de postín:
L*adynows*. Brutal.

• La flor y nata **The flower and the cream**
  (de flauer and de crim).
  Si usted maneja a la
  perfección este repertorio
  se encontrará entre
  la flor y nata; no lo dude.
  Esto es una garantía
  que ofrecemos porque
  somos una casa
  de toda la vida.

• La madera **The wood**
  (de vud).
  ¡Cuidado tío, que viene
  la madera!
  Watch out uncle,
  the wood is coming!
  (guatch aut oncl,
  de vud is caming!).

La media naranja   **The half orange**

- La madre del cordero **The mother of the lamb**
(de moda of de lamb).
A ver si usted es capaz de
encontrarla; es la clave
del éxito.

- La media naranja **The half orange**
(de jalf oreinch).
Busco mi media naranja.
I look for my half orange
(ai luc for mai jalf oreinch).
¿Para hacerse un zumo?

- La mui **The very**
(de veri).
Bien, aquí es necesario
hacer una parada y reflexionar.
The very es el más puro
ejemplo de cómo volver
tarumba al adversario.
Son cinco minutos de
reflexión. Apague la luz, una
dedos gordos e índices y
haga mmmmmmmm… ¿ya?
Cuando comience a disertar
en fromlostiano todos
achantarán su *very*.

- La peña **The crag**
(de crag).

Estaba toda la peña.
The whole crag was there
(de joul crag guas der).
Peñas arriba (U*p crags*).
Bonita novela.

- La olla

The pot
(de pot).
Es muy importante procurar
que la olla esté en su sitio;
siempre. Y, además, acuérdese
del dicho: «*Where you have the pot...*»

- La purga de Benito

Benito's purge
(Benitou's porch).
Es posible que le entiendan
el Porsche de Benitou.
No importa.

- La repesca

The refishing
(de refishing).
Realmente impecable.

- La tonta del bote

The silly of the can
(de sili of de can).

- Las verdades
  del barquero

The boatman truths
(de boutman truzs).
These go to mass!
Que van a misa, vamos.

• Levantar la liebre   **To lift the hare**
(tu lift de jer).
No levantes
la liebre todavía.
**Don't lift
the hare yet**
(dont lift de jer yet).

• Lingotazo   **Ingot blow**
(ingot blou).
Muy doloroso.
Incluso resacoso.

Lo mismo me da que me da lo mismo	It gives me the same than the same gives me
	(itgivsmideseim-dandeseimgivsmi). Juntito. Puede usarla cuando le pregunten en un pub de Londres qué tipo de cerveza toma. Dígala de corrido y no se pierda la cara del camarero.

• Los calcos   **The tracings**
(de treisings).
Calcos de cocodrilo.
Crocodile tracings
(crocodail treisings).

- Los mismísimos **The very same**
(de veri seim).
Justo «ellos».

- Llegar al humo **To arrive at the candles**
de las velas **smoke**
(tu arraiv at de candels
esmouk).

- Llevarse al huerto **To take somebody to**
a alguien **the vegetable garden**
(tu teik sombori tu
de veyetabol garden).

M

- Macutazo **Superknapsack**
(supanapsac).
Sistema primario
de transmisión
del conocimiento.

- Machaca **Crusher**
(crosher).
Es el machaca del capitán.
He is the captain's
crusher
(ji is de captain's crosher).

• Majete **Nicette**
(naiset).
Una vez llegados hasta
aquí, tómese ésta como
piropo por haber comprado
el libro: *zanquiu nicette*!!
Aplica lo mismo a mujeres
que a hombres.

• Maletilla **Smallsuitcase**
(esmolsutqueis).
For midgets?
No, conio, for torerillos.

• Manazas **Great hands**
(greit jands).
Antibricolage.

• ¡Manda narices! **Send out noses!**
(send aut nouses!).

Mandamás	Ordermore
	(ordamor).
	Refiérase así a su jefe.
	Nunca le pillarán.

• Mandar un emilio **To send an emile**
(tu send an emil).
No mande un flash,
mande a Emilio, el mensa.

• Mangante	**Sleeving** (eslivin).
• Manitas	**Smallhands** (esmoljands). Superbricolaje adosado.
• Marcando estilo	**Marking style** (markin estail).

Marcando paquete	Marking packet
	(marking paquet). Sólo justificable en los toreros.

• Más feo que pegar a un padre con una zapatilla, o un calcetín sudao	**Ugliest than beating a father with a slipper, or with a sweat sock.** (ogliest dan biting ei fada güiz a eslipa, or güiz a suet soc). Igual de feo es hacerlo con las madres, con los hijos, incluso con el jefe. Aunque con este último es muy tentador.
• Más listo que el hambre	**As ready as hunger** (as redi as jonga). Dígalo en restaurantes finos.

- Más mosqueao **As full of flies as a turkey**
  que un pavo **in Xmas night**
  en Nochebuena (as ful of flais as a torqui
  in Crismas nait).
  Frase difícil, pero práctica.
  E*rgo* practique.

- Más duro que **Harder than Frankie's leg**
  la pata de Perico (jarder dan Frankis leg).

- Matar el gusanillo **To kill the little worm**
  (tu kil de litel guorm).
  Si la usa, aclare que
  no es ningún
  deporte rural.

- Me revienta **It blows me**
  (it blous mi).
  Fácil de memorizar.
  Una pera en dulce
  (*a sweet pear*).
  Úsela ya.

- Mear fuera del tiesto **To pis off the pot**
  (tu pis of de pot).
  ¡Ojo! Que se la pillan.
  La frase, queremos decir.

- Menos da una piedra **Less gives a stone**
  (les guivs a estoun).

«Meter»	To insert
	(tu insert).
	No comment. Ná de ná.

• Meter en cintura

To put in waist
(tu put in gueist).
Te meto en cintura
en un dos por tres.
**I put you in waist
in a two by three**
(ai put yu in gueist
in a tu bai zri).

• Meter mano

To insert hand
(tu insert jand).
«*Not an innocent hand*»,
no hablamos de sorteos.

• Meter una manita

To put a little hand
(tu put a litel jand).
Es decir, 5-0.

• Meter un puro

To put a cigar
(tu put a sigar).
Not for smoking.

• Menos lobos

Less wolves
(les gulvs).
Ya sabe, cuando su amigo
farolero de la murtinasioná

de turno le cuente
la batallita, dígale: «*Less
wolves, little colleague.*»

• Meter una bola   **To put a ball**
(tu put a bol).
Dígala en una final.

• Miel sobre hojuelas **Honey over leaflets**
(joni ouva liflets).
¡Oh, que inocente frasecilla!
Casi se cruje de cursi.

• Mira qué te digo,   **Look what I tell you,**
bonito   **tuna fish**
(luc güat ai tel yu,
tunafish).
Frase especialmente
indicada para empezar
una conversación con
la madera inglesa.

• Mojar   **To dip**
(tu dip).
*Something?, somewhere?,
somebody? To dip or not
to dip; that's the question.*
De nuevo, William.

• ¡Mójate!   **Dip yourself!**

(dip yorself).
Con tonillo exigentón siempre.

• Mojar la oreja

To wet the ear
(tu guet de ier).

• Monosabio

Wise monkey
(guaismonki).

• Montar un Belén

To mount a Nativity scene
(tu maunt a Nativity sin).
Úsela en diciembre.

Montar un pollo   To mount a chicken
(tu maunt a chicken).

• Montárselo

To mount it
(tu maunt et).
Te lo montas de miedo.
You mount it of fear
(yu maunt et of fiar).

• Morcilla perrera

Kennel black-pudding
(kenal blacpuding).
Grado de dificultad alto.
Porque, claro, ésta hay que
decirla entre dientes y cabreao.

• Muerto (el)

Dead (the)
(ded).

Monosabio   **Wise monkey**

No me pases ese muerto.
Don't pass me that dead
(dont pass mi dat ded).

N

• ¡Naranjas
  de la China!

Chinese oranges!
(chainis oreinches!).
Es una respuesta
muy refrescante.

• Naturaca de la vaca

Of course of the horse
(of cors of de jors).
Tiene cuatro patas y no tiene
cuernos, que es más ventajoso.

• Ni con polvorones

Not even with big-dustys
(not iven güiz big dostis).
*Yes man! from The Steppe,
Seville.*

• N.P.I.

N.F.I.
Usted mismo.

• Niquelar

To nickel-plate
(tu niquel-pleit).
*We are nickel-plating the
english language.*

- ...¡Ni leches! **...Nor milks!**
  (nor melks!).
  It *is like nor flowers*.

- No dar pie con bola **Not to give foot with ball**
  (not tu guiv fut güiz bol).
  En efecto, esta bonita
  frase culmina nuestra
  aportación futbolera.

- No me caso con nadie **I don't marry anybody**
  (ai dont mari anibori).
  Solteronez.

- No se lo salta **A gipsy can't jump it**
  un gitano (a yipsi cant yomp et).
  O sea, monumental,
  superdimensionao.

- No puedo **I can't with my soul**
  con mi alma (ai cant guiz mai soul).
  Tal vez se crean que
  usted rechaza su propia
  música (negra), vamos,
  que la detesta, que se
  considera a sí mismo
  un mal músico
  de *soul music*.
  Acláreles que está
  hecho unos *foxes*.

- No pintar nada

  Not to paint anything
  (not tu peit anizing).
  Si la dice al despedirse de
  su oficina de Londres, con
  cara compungida: «*Here,
  already, I don't paint
  anything*», tal vez le regalen
  una caja de acuarelas.

- No te metas
  en jardines

  **Don't get yourself
  in gardens**
  (dont guet yorself
  in gardens).
  Ni *vegetable garden*,
  ni *flowers garden*,
  ni Covent Garden, ni gaitas.

- No te quemes

  Don't burn yourself
  (dont born yorself).
  Don't be bonzo man!

- No rascar bola

  Not to scratch ball
  (not tu escrach bol).

- No ser nada
  del otro jueves

  **To be nothing from
  the other thursday**
  (tu bi nozing from
  de oda zersdei).
  Así y todo, no desprecie
  ciertas oportunidades.

- No te cortes **Don't cut yourself**
(dont cot yorself).

No te andes por las ramas	Don't walk by the branches

(dont guolk bai de branches).
Usted en pupitre, como los blancos. Chiste viejo, pero apropiado en este caso.

- No tener abuela **To be grandmotherless**
(tu bi grandmoderles).
¡Olé mi niña que no tiene abuela!
Smell my grandmother less girl!
Realmente patético.

- No ha roto un plato **Never broke a dish**
(neva brouk a dish).
Puede añadir lo de «*he has face...*» (tiene cara de...).

- ¡No patines! **Don't skate!**
(dont eskeit!).

- No me cuentes milongas **Don't count me milongas**
(dont caunt mi milongas).
Ya sabe, contar 1.000 ongas.

- No ver ni torta

  Not to see nor pie
  (not tu si nor pai).
  *It is like not to see three
  on a donkey, the same.*
  Lo mismo me da.

- Nuestro gozo
  en un pozo

  **Our swell in a well
  (Manuel)**
  ¡Oh, qué hallazgo!
  Rima y no patina.

O

- ¡Ojo! o, ¡Mucho ojo!

  Eye! or, A lot of eye!
  (aí! or, a lot of ai!).
  Precaución,
  amigo conductor.

¡Ojo al parche!	Watch to the patch
	(guach tu de pach).
Un tiro. Sólida. Precisa. Seca.

- ¡Ole con ole!

  Smell with smell!
  (esmel güiz esmel!).
  Impresentable.

- Olerse la tostada

  To smell the toast
  (tu esmel de toust).

A cualquier hora;
be to the parrot!

P

- Pa' ti la perra gorda **For you the fat bitch**
(for yu de fat bich).

- Palmarla **To palm it**
(tu palm et).

- Pan comido **Eaten bread**
(iten bred).
Esto es pan comido
That's eaten bread
(dat is iten bred).

Pandero	The tambourine
	(de tamburin). No confundir con el señor del pandero, al que se refería Bob Dylan; queremos decir culo, sí, culo.

- Partirse el pecho **To break the chest**
(tu breik de chest).
Como Tarzán y King Kong.

- Partirse el alma   **To break the soul**
(tu breik de soul).
Pueden creerse que es un
nuevo estilo de música,
vamos, una mezcla.
Malvada.

- Pasar por el aro   **To pass by the ring**
(tu pass bai de ring).
Pasa por el aro,
es la única forma.
**Pass by the ring,
is the only way**
(pas bai de ring
is de ounli güei).

- Pasar una noche   **To pass a Toledan night**
toledana   (tu pas a tolídan nait).
Para turistas.

- Pasárselo por   **To pass it by the**
el arco del triunfo   **Triumph Arch**
(tu pas it bai de
traionf arch).
Acláreles la dirección
del monumento y seguro
que se les cambia la cara.

- Pasarlas canutas   **To pass them tubes**
(tu pas dem tiubs).

- Pasarlo bomba **To pass it bomb**
(tu pass it bomb).
Una frase militarizada.

- Pasar por alto **To pass by high**
(tu pas bai jai).
Cuidado no se vayan
a creer que es una
prueba de la NBA.
Chistosillo.

Pasarse varios pueblos	To pass several villages
	(tu pas several vilayes). Se pasó varios pueblos, el pobre. **He passed several villages, the poor** (ji pasd several vilayes, de puor).

- Pasta **Paste**
(peist).
Female goose? Sea fabric?

- Patente de corso **Corsican patent**
(corsican peitent).
Aquí tiene todo un
ejemplo del calibre
de esta lengua.

- Patoso

  «Duckish»
  (doquish).
  Adaptación libre,
  pero práctica.

- Pavita

  Little turkey hen
  (litel terki jen).
  Déjelo en *turkey*. Es más fácil.

- ¡Pecho lobo!

  Wolf chest!
  (gulf chest!).
  Monster! *Champion*!

- Pelar la pava

  To peel the female turkey
  (tu pil de fimeil terqui).
  Muy buena para utilizar
  en *Thanksgiving*.

¡Pelillos a la mar!	Little hairs to the sea!

(litel jers tu de sí).
No tiene nada que ver con
el Titanic. Quítele impor-
tancia, de eso se trata.

- Pepinazo

  Pepper blow
  (pepa blou).
  From the vegetable garden.

- Perder el culo

  To lose the bottom
  (tu los de botom).

Luis es un pelota: siempre
pierde el culo por su jefe,
**Louis is a ball: he always
loses the bottom for his boss**
(Luis is ei bol: ji olgüeis
luses de botom for jis bos).

- Picar muy alto

To sting very high
(tu esting veri jai).

- Pintar la mona

To paint the female monkey
(tu peint de fimeil monki).

- Ser un pintamonas

**To be a female monkeys
painter**
(tu bi a fimeil monkis peinter).
Si no se la aprende,
escríbala.

- Pedir peras al olmo

**To beg pears
to the elm-tree**
(tu beg pears
tu de elm tri).

- Perder aceite

To lose oil
(tu lus oil).
By *the way* (por el camino).

- Perder los papeles

To lose the papers
(tu lus de peipers).

¿Conoce a alguien del *London* o el *New York Times*?

Periquita	Parakeet
	(parakit).
	¡Pedro conoce un montón de buenas periquitas, es una mina!
	Peter knows a lot of good parakeets; he is a mine!
	(Piter nous a lot of gud parkits ji is a main!).

• Piar

To cheep
(tu chip).
Pías más que una
banda de loros.
**You cheep more than
a band of parrots**
(yu chip mor dan a
band of parrots).

• Picarse

To pike
(tu paik).
No te piques.
Don't pike yourself
(dont paik yorself).

• Pluma

Feather
(feda).

Perder pluma.
To lose feather
(tu lus feda).
Para ornitólogos.

• Picota — **Bigarreau cherry**
(bígarro cherri).
Ésta es una enseña noble,
patricia, altiva, pelín colorá.
Una picota propia de un
noble borrachín y mujeriego.
Un hombre que no se
conforma con tener
nariz, necesita una
bigarreau cherry.

Pillar un ciego	To catch a blind
	(tu cach a blaind).

• Pintar menos
que la Tomasa
en los títeres — **To paint less than
Tomasa in the puppets**
(tu peint les dan
Tomasa in de popets).
No se sabe nada de
Tomasa, ni por qué no
pintaba nada.
Tomasa, where are you?

• Piños — **Pine-nuts**
(pain-nuts).

Señor dentista, por favor ,
¿puede mirarme los piños?
**Mr. dentist, please, can you
check my pine-nuts?**
(mister dentist, plis, can yu
chec mai pain-nuts?).

• Plantar cara   **To plant face**
(tu plant feis).
Botánica. Pura, simple
y llanamente botánica.

• Plantar un pino   **To plant a pine tree**
(tu plant a paintri).
Si le entra un apretrón
estando de excursión
campestre, con esos amigos
de Inglaterra, puede decir
que va a ir a plantar un pino
y que tiene que ir solo por ser
un rito familiar. Si le pilla
por zona de secano invéntese
otra. En cualquier caso admirarán su ramalazo ecológico.

• Planchar la oreja   **To iron the ear**
(tu airon de ier).

• Polvos pica-pica   **Hitch-hitch dusts**
(jich-jich dosts).

Hitch-hitch... HURRA!!
¡Má o meno!

- Poner a caldo

  To put in broth
  (tu put in broz).
  It is like the next one.

- Poner verde

  To put green
  (tu put grin).
  Ésta es más perversa.
  En inglés, el verde está
  asociado a envidia, en
  español con poner a parir.

- Poner un huevo

  To put an egg
  (tu put an eg).
  Si usted entra en un bar de
  Londres diciendo que
  necesita poner un huevo,
  hay varias posibilidades:
  que llamen a un taxidermista,
  que llamen a Scotland Yard
  o que conozca usted en
  «persona» a la oveja Dolly.
  Dolly darling!, diga entonces.

- Poner el cazo

  To put the pot
  (tu put de pot).
  Ser un egipcio (*to be a
  egyptian*), un sobrecogedor

(*an envelope catcher*), un trincón (*a lasher*). En resumen, un golfo (*a gulf*).

- Poner los cuernos

To put the horns (tu put de jorns). Me puso los cuernos con otro. **She puts me the horns wiht another one** (shi puts mi de jorns güiz anoda una).

- Poner mirando a Toledo

To put overlooking Toledo (tu put ouvaluking Tolido). Usted sabrá, pero ándese con ojo. En cualquier caso, ¿Toledo, Spain *or* Toledo, Ohio? ¡Hay que aclarar esto de una vez! Yo voto por Spain. Yo, por Ohio. ¡Ya estamos!

- Poner patas arriba

To put legs up (tu put legs ap). Mi mujer puso la casa patas arriba. **My wife put the house legs up** (mai guaif put de jaus legs ap).

¿Buscándole? ¿Es usted
bajito? ¿Tiene algo que
esconder?

- Poner por las nubes **To put by the clouds**
(tu put bái de clauds).
Mi jefe me puso
por las nubes.
**My boss put me
by the clouds**
(mai bos put mi
bai de clauds).
Ésta va muy bien
a los pilotos.

- Ponerse el mono **To wear the monkey**
(tu güear de monki).
Y a currelar.

**Ponerse el mundo
por montera**
**To put the world
as a woman hunter**
(tu put de güorld
as ei vuman janter).
Frase complicadilla, es cierto.
Pero tiene su rollito, ¿no?

- Ponerse las botas **To put the boots**
(tu put de buts).
Fácil ésta ¿eh?
Pa' compensar.

- Por el morro **By the snout**
(bai de snaut).
Like the next one.

- Por la cara **By the face**
(bai de feis).
*Is it free?, is it by the face?,
yes?*; así da gusto.

- Por la patilla **By the whisker**
(bai de güiska).
Dame un whisky *by the
whisker.* Frase discotequera
y muy ye-ye.

Por pelotas	By balls

(bai bols).
Ganaremos el partido
por pelotas.
**We will win the match
by balls**
(güi güil güin de mach bai bols).
Futbolera, balonmanera,
baloncestera y pelotera.

- Por piernas **By legs**
(bai legs).

- Por un pelo **By a hair**
(bai a jer).

Hágales creer que el pelo
(negro) es una medida de
superficie española.

- Por narices **By noses**
(bai nouses).
Como Cyrano de Bergerac.
O como el de la *bigarreau
cherry*.

- Por el artículo 33 **By the thirty three article**
(bai de certizri articol).
Impecable. Un monumento
lingüístico. Un zapatazo
emocional.

- Por amor al arte **By love to the art**
(bai lov tu diart).
I *work in a* NGO (ONG)
by love to the art: Morning
Singers Without Frontiers.
Mejor no traducirla.

- Por si las moscas **For if the flies**
(for ef de flais).

- Por un tubo **By a tube**
(bai a tiub).
Dígasela a un londinense
y se meterá en el Metro.

- ¡Prenda! **Garment!**
  (garment!).
  Aplique aquí ese
  tonete medio andaluz
  que a todos se nos
  pone al decir
  un piropo. By *the*
  way, dígaselo a una
  chica en Harrod's.

- Por la gloria **By my mother's glory**
  de mi madre (bai mai moders glori).

Q

- ¡Qué tipazo! **What a supertype!**
  (güat a súpataip!).
  ¿Conoce a Queti Pazo?

- Que si quieres **If you want rice Catherin**
  arroz Catalina (if yu güant rais Cácerin).
  Nombres idolatrados: la
  Hepburn, la Ross, la Z...

Que te den morcilla **I wish they give**
you black-pudding
(ai güish dei guiv
yu blac puding).

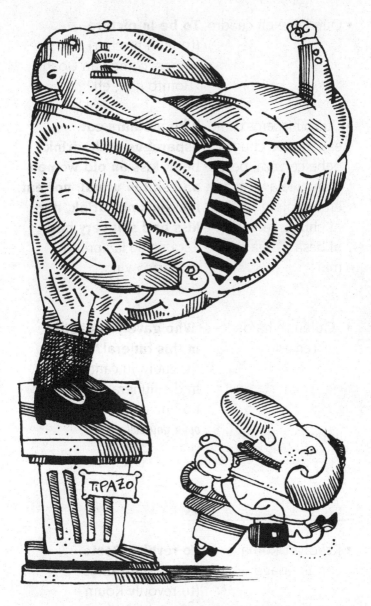

¡Qué tipazo!   **What a supertype!**

• Quedarse en cuadro **To be in picture**
(tu bi in picchur).
Vamos, como Van Gogh.
¿Bonito giro, eh?

• Quien nísperos come, **Who medlars eat,**
espárragos chupa, **asparagus suck, drink**
bebe cerveza, besa **beer, kiss an old woman**
a una vieja y caga **and shit in urinal; nor eat,**
en orinal; ni come, **nor suck,nor drink, nor**
ni chupa, ni bebe, **kiss and shit very bad.**
ni besa y caga muy Ésta no se la aprende
mal ni «jarto» vino.

• ¿Quién te ha dado **Who gave you candle**
vela en este entierro? **in this funeral?**
(ju gueiv yu candel
in dis fiuneral?).
Lo que es lo mismo:
open yourself.

R

• Revolver Roma **To revolve Rome**
con Santiago **with Saint James**
(tu revoulv Roum
güiz Seint Yeims).

Revolví Roma con Santiago
buscando los papeles.
**I revolved Rome with Saint
James searching the papers**
(ai revoulvd Roum güiz Seint
Yeims serching de peipers).

• ¡Rey mío!   **King of mine!**
(King of main!).
Frase cariñosa que parece
que le costará mucho oír a
algún príncipe europeo;
¿será por orejas?

• ¡Reina!   **Queen!**
(quin!).
Esto es un piropo hasta
para las republicanas
convencidas.

• Reinona   **Big queen**
(big quin).
Es una frase superior
del reinado femenino.
She looks like a big queen.

• Rompetechos   **Ceiling breaker**
(siling breika).
Dígaselo a uno de la NBA.
Y allá usted.

S

• Salvarse por tablas **To save yourself by planks** (tu seiv yorself bai planks).

• Se te va a caer el pelo **Your hair is going to fall** (yor jer is gouing tu fol).

• Ser de aúpa **To be of up** (tu bi of ap). Robertito es un lince de aúpa **Bob is a lynx of up** (Bab is a linx of ap).

• Ser un cazo **To be a pot** (tu bi a pot). Tu novia es un cazo. **Your girlfriend is a pot** (yor guerlfrend is a pot).

• Ser un egipcio **To be an egyptian** (tu bi an eyipshian). Pilla por la orilla (del Nilo).

• Ser un matado **To be a killed** (tu bi a kild).

• Ser un pico de oro **To be a golden beak** (tu bi a goulden bic).

314

Igual piensan en un boli de oro.
Pablo es un pico de oro.
P*aul is a golden beak*.

• Ser un plomo

To be a lead
(tu bi a led).

• Ser un rollo

To be a roll
(tu bi a rol).
¡Rollito primavera!
Spring little-roll!
(espring litel rol!).

Saber al dedillo

To know to little finger
(tu nou tu litel finga).
Me sé la lección al dedillo.
**I know the lesson
to little finger**
(ai nou da leson
tu litel finga).

• Saber más que Lepe,
Lepijo y su hijo

**To know more than Lepe,
Lepijo & son**
(tu nou mor dan Lipi,
Lipihou and son).
Diga que eran toreros,
una dinastía.

• Saber tela

To know cloth
(tu nou cloz).

Mi amigo sabe tela de toros.
My friend knows cloth of bulls
(mai frend nous clouz of buls).

• Sacar los pies del plato

To put the feet off the dish
(tu put the fit of de dish).
Culinaria. Para *chefs*.

Salir de Málaga y entrar Malagón

To leave Malaga and arrive in Great Malaga
(tu liv Malaga and arraiv in Greit Malaga).
Viajando se entiende la gente. *Very touristic*.

• Salir pitando

To leave blowing
(tu liv blouing).
Es como salir *throwing milks*, pero con ruido.

• Se me ha ido el Santo al cielo

My Saint went to the sky
(mai seint güent tu de escai).
Lógico, ¿no? Pues no, no es lo más frecuente. *Normally the saint is at home*, pero de vez en cuando *the saints*

go marching in. Vamos,
que nos vamos.

• Seguir en sus trece   **To continue in his thirteen**
(tu continiu in jis certin).
Big-*head* perdido.

• Ser el farolillo rojo   **To be the little red lamp**
(tu bi de litel red lamp).
Cursililla.

• Ser la niña   **To be the girl of my eyes**
  de mis ojos   (tu bi de guerl of mai ais).
Ellos lo dicen con manzana.
Estan p'allá.

• Ser mano de santo   **To be saint's hand**
(tu bi seints jand).

• Ser más simple   **As simple as a**
  que el mecanismo   **bucket mechanism**
  de un cubo   (as simpel as ei
boquet mecanisem).
Ingeniería lingüística.

• Ser largo   **To be long**
(tu bi long).
Miguel, qué largo eres.
**Michael, how long
you can get**

(maiquel jau long
yu can guet).

• Ser un calavera   **To be a skull**
(tu bi a escol).
¡Pirata perdío!

• Ser un cuco   **To be a cuckoo**
(tu bi a cacú).
De la parte de Suiza.

• Ser un Jaimito   **To be one Jimmy**
(tu bi uan Yimi).
Mire qué bonito:
Johnnie you are a Jimmy.
Otra:
*Jimmy don't step
on my Johnnies.*

• Ser un bala   **To be one bullet**
(tu bi uan bulet).
Rápido e incisivo.

• Ser un filón   **To be a lode**
(tu bi a loud).
Puede que la pillen.
Se advierte.

• Ser un orejas   **To be one ears**
(tu bi uan iers).

Ser un veleta **To be a weathercock**

No la diga en
Buckingham Palace.

- Ser un pera, o,
  un niño/a pera

**To be a pear, or,
a pear boy or girl**
(tu bi a pear, or
a pear boi or guerl).
Se viste muy bien,
siempre. Es un pera.
**He dresses very well
always. He is one pear.**
(ji dreses very guel,
olgüeis. Ji is uan pear).

- Ser un veleta

To be a weathercock
(tu bi a güedercoc).
Eres un veleta.
You're a weathercock
(yu ar a güedercoc).
Dígasela a
un meteorólogo.

- Ser un negado

To be a denied
(tu bi a dinaid).
Eres un negado, amigo,
pero... inténtalo de nuevo.
**You're denied, my friend,
but... try again**
(yu ar a dinaid, maifrend,
bot trai aguein).

- Ser un pato mareado **To be a sick duck**
(tu bi a sick doc).
Es una condición que si no
se remedia a tiempo
acompaña al ser durante
toda una vida.

- Ser un pájaro
  (de cuenta) **To be a bird (of account)**
(tu bi a berd of acaunt)
**That man is a bird
of account**
(dat man is a berd
of acaunt).
Para contables.

- Ser un palomo **To be a pigeon**
(tu bi a piyeon).

- Ser un mirlo blanco **To be a white blackbird**
(tu bi a guait blacberd).
Difícil, ¿no?, pues existen,
al menos en España.
Busque bien, están en vías
de extinción. Puede pedir
información a la Sociedad
Española de Ornitología (SEO).

- Ser un cepo **To be a catch**
(tu bi a catch).
Es un grado superior a

negado, ya sabe, en línea
ascendente de incompetencia.
Alcanza el máximo nivel al
llegar a ceporro (*bough*).

Ser un manta	To be a blanket
	(tu bi a blanket).
	Tu primo es un manta.
	Your cousin is a blanket
	(yor cósin is a blanket).

- Ser un mendrugo **To be a bread crust**
(tu bi a bred crost).

- Ser un hincha **To be a blow-up**
(tu bi a blou ap).

- Ser un mosquita **To be a dead little fly**
muerta (tu bi a ded litel flai).

- Ser una monada **To be a monkey fact**
(tu bi a monky fact).
Cualquiera le dice a un
inglés: *your wife is a*
monkey fact.

- Si tus piernas fueran **If your legs were posts**
postes, yo me haría **I would be an electrician**
electricista (if yor legs guer pousts ai
vud bi an electrishan).

Por aquello del mantenimiento,
más que nada.

• Sobrecogedor

Envelopecatcher
(enveloupcacher).
Que pilla por la orilla.
Que se deja untar. Se da
menos allí que aquí.

• ¡Sopla!

Blow!
(blou!).
Al usarse como interjección
impropia no hace falta
indicar qué o por dónde
se sopla, simplemente se
dice: B*low*!

T

• Telele

TVtohim/TVtoher/TVtoit
(Tivitujim/tivitujer/tivituit).
Attack of rubbish – TV?
¿Ataque de telebasura?

• Templar gaitas

To warm pipes
(tu güarm paips).
Me paso el día
templando gaitas.

**I spend the whole day
warming pipes**
(ai spend de joul dei
guarming paips).
*Like the Chieftains or
Lyan O'flyn.* Culturilla.

Tener carrete	To have spool
	(tu jav espul). Ella tiene mucho carrete. **She has a lot of spool** (shi jas a lot of espul).

- Tener correa

To have belt
(tu jav belt).

- Tener cuento

To have tale
(tu jav teil).
Tienes mucho cuento.
You have a lot of tale
(yu jav a lot of teil).
Politician pure.

- Tener cuerda
para rato

To have rope for a while
(tu jav roup for a guail).

- Tener duende

To have elf
(tu jav elf).
Tiene mucho duende
cuando baila.

Tener cuerda para rato   **To have rope for a while**

**She has a lot of elf
when she dances**
(shi jas a lot of elf
güen shi danses).
¿Ha visto a alguna inglesa
bailar flamenco?
Pues lo opuesto.

• Tener entre ceja
  y ceja

**To have between eyebrow
and eyebrow**
(tu jav bituin aibrou
and aibrou).
Estoy seguro. Me tiene
entre ceja y ceja.
**I'm sure. He has me between
eyebrow and eyebrow**
(ai am shuer. Ji jas mi bituin
aibrou and aibrou).
Manía persecutoria a tope.

• Tener vergüenza
  torera

To have bullfighter shame
(tu jav bulfaiter sheim).
Concepto difícil de trasladar.
Pero, he aquí, mira tú, que
en eso reside la gracia.

• Tener mano izquierda
To have left hand
(tu jav left jand).
Dígaselo a algún zurdo que
conozca al sur del Potomac.

• Tener más cara **To have more face**
  que espalda **than shoulder**
  (tu jav mor feis dan shoulda).

• Tener más cuento **To have more tale**
  que Calleja **than Alley**
  (tu jav mor teil dan áli).
  ¿Alley? Sí señor, *alley*,
  callejón. Especial azafatas.

Tener muchas **To have a lot of planks**
tablas
  (tu jav a lot of planks).
  Es un zorro,
  tiene muchas tablas.
  He is a fox,
  he has a lot of planks
  (ji is a fox, ji jas a lot of plancs).

• Tener mucho mundo **To have a lot of world**
  (tu jav a lot of guold).
  Vamos, como el presidente
  de USA (USA = Un Solo Amo).

• Tener muchos **To have a lot of smoke**
  humos (tu jav a lot of esmouc).
  Lo mismo, como
  el presidente de
  la Felipe Morris.
  No *ofense meant*.

- Tengo curro

  I have Franky
  (ai jav franki).
  Me *too* (yo tóo).

- Tener saque

  To have service
  (tu jav servis).
  Otra para Wimbledon.

- Tiquismiquis

  Tkeysmekiss
  Creativo ¿no?
  ¿Por qué decir *fussy*?

- Tirarse a la piscina

  To jump in the pool
  (tu yomp in de pul).

- Tirarse el moco

  To throw the snot
  (tu zrou de esnot).

- Tocar la china

  To touch the chinese
  (tu toch de chainis).

- Tomar por el pito
  del sereno

  **To take by the whistle
  of the night porter**
  (tu teik bai de guisel
  of de nait porta).
  *This whistle is like
  Ambrosio's gun.*

- Tranqui (lo)

  Rel (ax), cal (m down), qui (et)
  Tranqui tronqui.

Rel, little trunk.
(rel, litel tronk).

• Tripear

To tripe
(tu traip).
¡Macho, cómo tripeas!
Male, how you tripe!
(meil, jau yu traip!).

U

• Una rubia

A blonde
(ei blond).
Parte insignificante de
un dólar. Pero mola.

• Un duro, un pavo

A hard one, one turkey
(a jard uan, uan terqui).
Five blondes.

• Un machacante

One pounder
(uan paunda).
Bonita coincidencia. O así.

• Un real

A royal
(a rouyal).
Gone with the wind.

- ¡Un puntazo! **A superpoint!**
  (ei supapoint!).

- Un talego **A long sack**
  (ei long sac).

V

- Va como un neceser **He goes like a vanity case**
  (ji gous laik a vanity queis).
  No le falta detalle.

- ¡Vale! **Voucher!**
  (vaucha!).
  Vamos al cine.
  Let's go to the movies
  (let gou tu de muvis).
  ¡Vale!
  Voucher!
  Antológica. Sin más.

- ¡Vaya clavo! **What a nail!**
  (guat a neil!).
  The bill sir. What a nail!

- ¡Vaya morro! **What a snout!**
  (guat a esnaut!).
  Tienes más morro

que Espinete.
**You have more snout
than Thorny**
(yu jav mor esnaut
dan Zorni).

• ¡Vaya puro! **What a cigar!**
(guat a cigar!).
No es un regalo,
es un *parcel* que
te han metido.

• Ventilarse **To fan (yourself)**
(tu fan [yorself]).
Muy veraniega.
Aproveche.

Ver al señor Roca	**To visit Mr. Rock**
	(tu visit mista Roc).
	And Roll? No, Roll
	está en la mili.

• Ver el cielo abierto **To see the sky open**
(tu si de escai oupen).
Aproveche la oportunidad,
pocas veces lo verá así
en Inverness. Por cierto,
Inverness equivale a
Leganés, donde vive
el monstruo.

- Ver la paja en el ojo ajeno

  To see masturbation im the other's eye
  (tu si masturbeishon in di oders ai).
  Hay muchos obsesos por la vida.

- Ver las estrellas

  To see the stars
  (tu si de estars).
  Like in Hollywood.

- Ver menos que Pepe Leches

  To see less than Joe Milks
  (tu si les dan You Melks).
  No sabemos quién era Joe, pero seguro que era un «lupas». A lo mejor era un vaquero…

- Verdades como puños

  Truths like fists
  (truzs laik fists).
  Como las de Rocky.
  Así de gordas son las que están aquí escritas.

- Verde y con asas

  Green and with grips…
  (grin and güiz grips).
  Sabiduría detrás de cada palabra.

- Verdes las segaron

  Greens they reap them
  (grins dei rip dem).

Si no se acuerda de *reap*
use *cut*. No problemo.

- Vete a hacer gárgaras   **Go gargling**
(gou gargling).

Y

- Y Santas Pascuas   **And holy Easter**
(and jouli Ister).

- ¡Y un pimiento!   **And a pepper!**
(and a pepa!).
Dígaselo a alguna Mary Joe.

Y un pirulí de La Habana	And a lollypop from Havana
	(and a lollypop from Havana) Dígalo en Miami.

- Yogurín   **Small yoghurt**
(esmol yougurt).
¿Da none viene esta frase?
Do you remember Lolita?

- Yuyu   **Youyou**
Me da yuyu.

It gives me youyou
(it guivs mi yuyu).

Z

- Zambomba
(darle a la)

   To shake the rustic drum
   (tu sheik de rostic dram).
   Sin más comentarios que
   ya no queda sitio.

- Zeterminó

   The end
   (di end).

¿Quién es Who?

Caras famosas. Nombres famosos. Personas famosas. Cargos de postín. Profesiones casi mágicas. La crema. La nata. La pera. Familias conocidas. Abolengos históricos. Razas aparte. Seres privilegiados. Listos. Brillantes. Emprendedores. Bellas y bellos. Tocados por la mano de un Dios. Marcados por el destino. Son la portada de la prensa. La comidilla de las revistas. El morbo. La pasión. El éxito. El poder. El punto de referencia. Nadie hace más dinero. Nadie controla más negocios. Nadie tiene más seguidores. Pocos, tantos perseguidores. Están en todas partes. Son la sal de la costa. La guinda de las fiestas. El blanco en la nieve. La trufa del restaurante. El puro en los toros. La copa en el fútbol. El *master* en vivo. El genio, en vivo. Algún vivo de turno. El cuerpo. El cerebro. La imaginación. El arte. La erudición. Tienen mujeres insultantes. Maridos fascinantes. Amantes. Encabezan listas. Dirigen empresas. Montan saraos. Saltan la bolsa. Barren audiencias. Ganan carreras. Tienen voces de oro, discos de oro, grifos de oro, picos de oro. Coches de marca. Marcan ganaderías. Viven en yates. Ya te digo, son la monda. Tienen títulos o renombre o fama o apellidos o casta, pasta o tradición..., alguna que otra maldición. Y son únicos, genuinos, son la envidia, el deseo y la meta de miles. ¿Los conoces? ¿Sabes quién es Who?

1. Elizabeth Breadtleaf: Tonadillera máxima
2. Roderick While: Ppolítico
3. John Cliffs: Delfín de alcalde y ex alcalde
4. Hill & Hill: Sin pistas
5. Emile Andbar: Veve V
6. Johnnie Weapons: Escritor, periodista y madridista
7. Frank Helmets: Otro Ppolítico
8. Mary Therese Fields: Thereloo's mum
9. Paul Castillians: Permanent protester
10. Richard of the Hind: Político, historiador, discutidor
11. Alphonse Courtain: Emppresario
12. Pete Thin: Movi–star
13. Pleasant Sunday: ¡Oh sole mío!
14. July Ugly: Public relations o así
15. Sea Flowers: La mar de escándalos
16. Charles Fountains: ¿Viste?
17. Tuesday & Thirteen: Genios toda la semana
18. Tony: ¡Maestro!
19. Dew Jury: Tan agustito
20. Anthony Flags: Superstar
21. James Larger Ear: Ppolítico con un par
22. Tiny: Elizabeth Breadtleaf's cousin

23. Mary of the Mountain: Elizabeth Breadtleaf's closest
24. Dove Lake: Modelo, presentadora, encantadora
25. Angel Grandson: 12 + 1
26. Judith Chewed: Ahora, mamá
27. The Julie: Esperanza máxima
28. Snows Smith: Voz incombustible
29. Little Rosary: Hija de un genio, hermana de otro
30. Nathaly Road: Todos los caminos van a Roma
31. Lawrence Wicket: Jondo mú jondo
32. Hillary Pine-tree: Canal más
33. Charles Blacksmith: Tiene una fosforera
34. Mary Cliff: Genuine Almodóvar
35. Victoria Please: La transición en vivo
36. Queen two Saints: ¡Sabó!
37. The Greenvalley Sisters: Jiá, jiá, jiá
38. Xavier Sands Blackmouth: Ppico de oro
39. Galician & King: Superjokers
40. Joe Verger: Quijote
41. Elizabeth Bacon: Ppolítica peleona
42. Alphonse War: Hermanísimo del hermanísimo
43. Nicholas Round: Un Gran Tío
44. Anne Nativity Scene: Mírala, mírala
45. Beatrice Rich: No campsa
46. Jackie of the Watermeadow: «presionante», tipazo, bocaza
47. Frank Riverside: Dinastía en vivo

48. Henry Churchs: Casi, una experiencia
                              religiosa

49. The from the River: Macsand

50. The Dynamic Duet: Está cantao

51. Anne Allred: No me mires

52. Frederic Treshing: Ppresident of the Courts

53. The Moorish: Oh my ita!

54. John and a Half: ¿Víctima? ¿Verdugo?

55. Max Greenvalley: Macicen histórico

56. John Dun: La voz de Galicia

57. Dove Saint Basile: Dulcinea

58. Joseph Louis Hill: El hombre del bowler

59. Anne Godgiven: Okapi de la escena

60. Standard Ofthevalley: Las piernas

61. Jesus Bridge: Actor, presentador, amor

62. Louis of the Elm: La voz del León

63. Louis Blacksmith: La saga continúa

64. James Sure: Ma'llegao

65. Caesar Corner: Toré de Colombia

66. John Longvillage: El conquistador ¿Quién si no?

67. Seve Crossbowmen: Sin par

68. Foam Rubber: Normá

69. Alphonse Yourhonour: Pperiodista, humorista,
                              escritor

70. Emile Booty: The bench in person

71. Joseph Runs: ¡Toreador!

72. July Churchs: La vida cambió mucho

73. Joseph Newquarter: Libre como el viento

74. Rose Count: Representante del 25%

75. Villa Rosemary: Al menos el 50%

76.	Job Rosemary:	El brujo de la Maestranza
77.	Joseph Mary Caves:	Representante de los emppresarios
78.	Alphonse Iron:	Lo más
79.	Emmanuel Scrub:	PPPPolítico inagotabilis
80.	Ferdinand Iron:	La locomotora
81.	Mickey:	Comentarista blanco
82.	Emmanuel to Sweep:	Cartless
83.	Marcelinus Ear:	Ppolítico en Flandes
84.	Villa Inns:	Escritora de alta sociedad
85.	Michael Rock:	Con ciencia de la transición
86.	Louis Angel Red:	De ira
87.	Marianus Blond:.	Ahora cano
88.	Vincent Barrier:	Bachiller y torer
89.	Elizabeth Groan:	La amiga del corazón
90.	Joseph Louis Suntanned:	MacArio's voice
91.	Frances Towers	Mrs. Luyk
92.	Joe Bond:	Él es Castilla
93.	Serrated:	Sencillo, como él
94.	Flourish Boy	Pero no tan chica
95.	Anne Bottle:	Espposa
96.	Agnes Tailor:	Guapa es poco
97.	Anthony Farms Walker:	Nada que ver con Johnnie
98.	July Warrior:	Modelazo futbolístico
99.	Joeray of the Suntanned:	The crossbar
100.	Virtues:	Gemelas
101.	Anthony Full Dress:	La mano que mece el bastón
102.	Cross & Line:	No hay quien los tenga a raya

103. Sebastián Pigeon:	El único rabo de Madrid (con perdón)
104. Charles Jail:	Va como una moto
105. Joseph Louis Saint Peter:	El equilibrio in person
106. Jesus Chunk:	Lo sabe todo. To-do
107. Frank Threshold:	Escritor en la jet
108. Mary Towers:	Afilada mente
109. Javier Seeyouagain:	¿Será porque viaja mucho?
110. William Goatkeeper Infant:	La revolución
111. Angels Case:	La evolución
112. Peartrees:	Y, ¿quién es él?
113. Brown Sugar:	Mejor que la de los Rolling
114. Villa Seville:	¡Ay mis corderitos!
115. Andrew Barns:	Uncle Willy
116. Frank Wolfcub:	Se busca
117. Tiny of the Roadway:	Éste no lo adivina, no puede, no puede.
118. Littlepains:	Hermana de Littlerosary
119. Joseph Mary Kermes Oak:	Aparecía cada día más tarde
120. Frank Suburb:	Actorazo de luxe
121. Mathias Meadows:	Padre e hijo
122. Ray o Little Raymond:	Rockero que sabe de tóo
123. Michael of the Stable:	Aventurero Camel
124. Rosemary Mathew:	Sólo tiene que ver las noticias
125. Constantine Rosemary:	La voz del Rey León
126. Joe Navarrese:	El padre de Miss Isipi

Soluciones

1. Isabel Pantoja
2. Rodrigo Rato
3. Juan Barranco
4. Gil y Gil
5. Emilio Ybarra
6. Juancho Armas
7. Paco Cascos
8. María Teresa Campos
9. Pablo Castellanos
10. Ricardo de la Cierva
11. Alfonso Cortina
12. Perico Delgado
13. Plácido Domingo
14. Julio Feo
15. Mar Flores
16. Carlos Fuentes
17. Martes y Trece
18. Antoñete
19. Rocío Jurado
20. Antonio Banderas
21. Jaime Mayor Oreja
22. Chiquetete
23. María del Monte
24. Paloma Lago
25. Ángel Nieto
26. Judit Mascó
27. El Juli
28. Nieves Herrero
29. Rosarillo
30. Natalia Estrada
31. Lauren Postigo
32. Hilario Pino
33. Carlos Herrera
34. María Barranco
35. Victoria Prego
36. Regina dos Santos
37. Las hermanas Valverde
38. Javier Arenas Bocanegra
39. Gallego y Rey
40. Pepe Sacristán
41. Isabel Tocino
42. Alfonso Guerra
43. Nicolás Redondo
44. Ana Belén
45. Beatriz Rico
46. Jacqueline de la Vega
47. Francisco Rivera
48. Enrique Iglesias
49. Los del Río
50. El Dúo Dinámico
51. Ana Torroja
52. Federico Trillo
53. Los Morancos
54. Juan y Medio
55. Máximo Valverde
56. Juan Pardo
57. Paloma San Basilio
58. José Luis Coll
59. Ana Diosdado
60. Norma Duval
61. Jesús Puente
62. Luis del Olmo

63. Luis Herrero
64. Santiago Segura
65. César Rincón
66. Juan Villalonga
67. Seve Ballesteros
68. Gomaespuma
69. Alfonso Ussía
70. Emilio Botín
71. José Carreras
72. Julio Iglesias
73. José Barrionuevo
74. Rosa Conde
75. Carmen Romero
76. Curro Romero
77. José María Cuevas
78. Alfonso Fierro
79. Manuel Fraga
80. Fernando Hierro
81. Michel
82. Manolo Escobar
83. Marcelino Oreja
84. Carmen Posadas
85. Miguel Roca
86. Luis Ángel Rojo
87. Mariano Rubio
88. Vicente Barrera
89. Isabel Gemio
90. José Luis Moreno
91. Paquita Torres
92. Pepe Bono
93. Serrat
94. Florinda Chico
95. Ana Botella

96. Inés Sastre
97. Antonio Garrigues
98. Julen Guerrero
99. Joserra de la Morena
100. Virtudes
101. Antonio Gala
102. Cruz y Raya
103. Sebastián Palomo
104. Carlos Checa
105. José Luis San Pedro
106. Jesús Cacho
107. Paco Umbral
108. Maruja Torres
109. Javier Reverte
110. Guillermo Cabrera Infante
111. Ángeles Caso
112. Perales
113. Azúcar Moreno
114. Carmen Sevilla
115. Andrés Pajares
116. Paco Lobatón
117. Chiquito de la Calzada
118. Lolita
119. José María Carrascal
120. Paco Rabal
121. Matías Prats
122. Ramoncín
123. Miguel de la Quadra
124. Rosa María Mateo
125. Constantino Romero
126. Pepe Navarro

De méniu

No se coma el coco (*don't eat your coconut*), no se coma su fortuna (*don't eat your fortune*), no se coma la moral (*don't eat your moral*), no se coma un marrón (*don't eat a brown*), no se coma el tarro (*don't eat your pot*); olvídese de comecomes (*eateats*) o de comerse al equipo contrario (*to eat the opposite team*), aquí, lo que cuenta es matar el gusanillo (*to kill the little worm*), no pasar más hambre que un torero (*not to be hungrier than a bullfighter*), lo que vale es papear (*to play the pope*) y disfrutar de un banquete (*to enjoy a little bank*). No se olvide de beber, ¡eso sí, nada de acabar hasta con el agua de los floreros! (*to drink the vases water*), ni de coger una tajada (*to get a slice*) ni de acabar como una cuba (*to finish like a barrel*).

O sea, que a disfrutar. Le hemos preparado primero unos *covers* y luego la gran zampa, el festín de *luxe*, el ágape total. Aquí lo tiene, recién salido del horno. Por cierto, ponga siempre un *guiri* en su mesa. Mola. Así pues, no lo dude más y pase la página: la comida está lista (*the food is clever*).

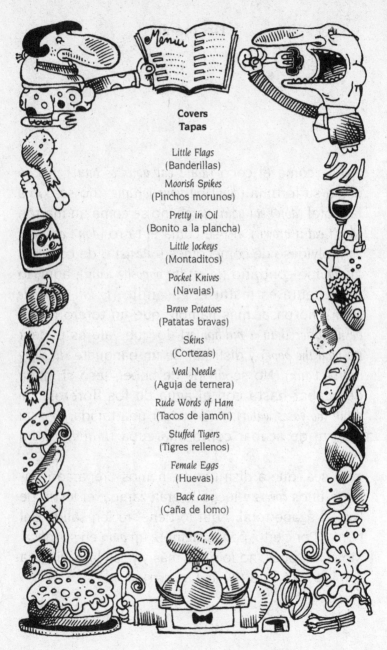

Covers
Tapas

Little Flags
(Banderillas)

Moorish Spikes
(Pinchos morunos)

Pretty in Oil
(Bonito a la plancha)

Little Jockeys
(Montaditos)

Pocket Knives
(Navajas)

Brave Potatoes
(Patatas bravas)

Skins
(Cortezas)

Veal Needle
(Aguja de ternera)

Rude Words of Ham
(Tacos de jamón)

Stuffed Tigers
(Tigres rellenos)

Female Eggs
(Huevas)

Back cane
(Caña de lomo)

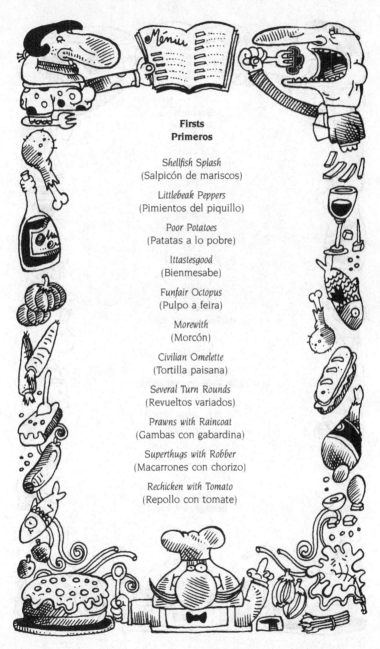

Firsts
Primeros

Shellfish Splash
(Salpicón de mariscos)

Littlebeak Peppers
(Pimientos del piquillo)

Poor Potatoes
(Patatas a lo pobre)

Ittastesgood
(Bienmesabe)

Funfair Octopus
(Pulpo a feira)

Morewith
(Morcón)

Civilian Omelette
(Tortilla paisana)

Several Turn Rounds
(Revueltos variados)

Prawns with Raincoat
(Gambas con gabardina)

Superthugs with Robber
(Macarrones con chorizo)

Rechicken with Tomato
(Repollo con tomate)

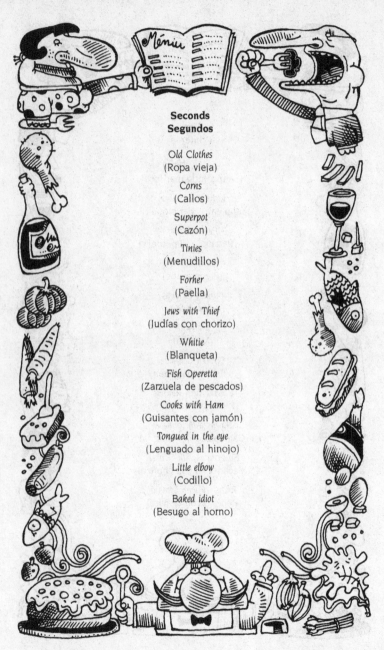

Seconds
Segundos

Old Clothes
(Ropa vieja)

Corns
(Callos)

Superpot
(Cazón)

Tinies
(Menudillos)

Forher
(Paella)

Jews with Thief
(Judías con chorizo)

Whitie
(Blanqueta)

Fish Operetta
(Zarzuela de pescados)

Cooks with Ham
(Guisantes con jamón)

Tongued in the eye
(Lenguado al hinojo)

Little elbow
(Codillo)

Baked idiot
(Besugo al horno)

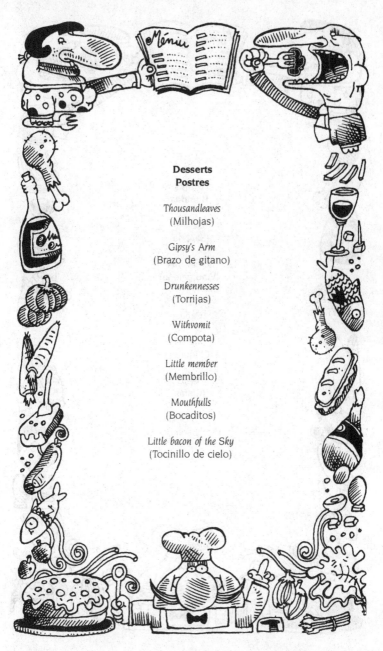

Desserts
Postres

Thousandleaves
(Milhojas)

Gipsy's Arm
(Brazo de gitano)

Drunkennesses
(Torrijas)

Withvomit
(Compota)

Little member
(Membrillo)

Mouthfulls
(Bocaditos)

Little bacon of the Sky
(Tocinillo de cielo)

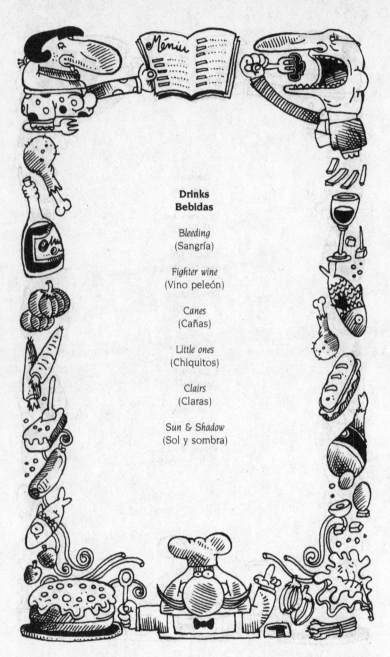

Drinks
Bebidas

Bleeding
(Sangría)

Fighter wine
(Vino peleón)

Canes
(Cañas)

Little ones
(Chiquitos)

Clairs
(Claras)

Sun & Shadow
(Sol y sombra)

Epílogo

Homenaje a la n con boina
(An *homage to the n with beret*)

Este libro es para todas las edades
así que, si el niño se lo pilla,
no le parezca extraño
y en lugar de riña y piña,
cuídele como oro en paño,
no sea ñoño.
Detrás del supuesto daño
de quien le parece un meño
que quita un libro a su dueño,
puede haber todo un retoño de ensueño
que bien pronto esté hasta el moño
de tanto engaño,
de tanta imposición extraña
que se le vuelve montaña
con la que no se apaña.
Y prefiere aprender en España,
con este manual pequeño
que también le hace su apaño,
en lugar de en Gran Bretaña,
por mucho que usted se empeñe
o sea gibraltareño.

@ Koniek!nosabrimos.goodbye.es